愛ふたたび

渡辺淳一

幻冬舎

愛ふたたび

目次

装幀　三村　淳

装画　速水御舟「炎舞」

【重要文化財】一九二五（大正十四）年／山種美術館蔵

第一章　おとずれ

「えっ……」

思わず声に出しかけて、息をのむ。

「おかしい?」というより、「どうしたのか?」といった気持ちのほうが強い。

「なぜ……」とつぶやきかけて、医師の気楽堂《きらくどう》は自らの手で、股間の自分のものに触れてみる。

だがそこは、なにごともなかったように静まり返っている。

「どうして?」

さらに自分のものを摑《つか》み、軽く揺さぶってみるが、やはりなんの反応も示さない。

「おい……」

できることなら、このまま起き上がり、股間のものを鏡で見て、たしかめたい。

だが、気楽堂の隣りには、殿村《とのむら》夫人が全裸で横たわっている。

そんな夫人を無視して自らのものに関《かか》わっていたら、異常を察知されるだけである。

とにかくここは、なにごともなかったように、おさめるよりない。

気楽堂は改めて夫人のほうに寄り添い、彼女の上体を軽く抱き寄せる。

そのまま、しばらく胸を寄せ合ってから、やがてゆっくりと肩から背へ、そして背から肩へと上下に撫《な》ぜてやる。

それだけ見ていると、穏やかな愛撫《あいぶ》をくり返していると思えるかもしれないが、気楽堂の頭のなかは、自分の局所のことで占められている。

それにしても、不能とは、このように訪れてくるものなのか。

ある日、突然、予告もなく自分にのりうつり、気が付いたときには、もはや脱《ぬ》け出しようもなく定まっている。

しかも、その前と後で、他にはなんの変わりもない。

実際、その瞬間から熱が出たり、躰《からだ》が痺《しび》れるとか、知覚が失《う》せるというわけでもない。

ただ肝腎《かんじん》のものだけが、なにごともなかったように大人しく横たわっている。

いや、これまでも局所が弱るというか、萎《な》えることはよくあった。

だが、ここまで無反応で冷《ひや》やかなペニスを見るのは初めてである。

いままさに、そこは自分のものではないように静まり返っている。

もしかして、殿村夫人は不審に思っているのかもしれない。

抱かれたまま容易に求められず、ただ愛撫だけがくり返されている。

これでは、おかしいと思うのは当然である。

だがいま少し、待って欲しい。

もう四、五分も経《た》てば、そこはいつものように甦《よみがえ》ってくるかもしれない。

気楽堂はそれを信じて、なお夫人の肩から背をゆっくり撫で続ける。

夫人の肌は柔らかく、いつもとなんの変わりもない。

それなのに、自分はどうなったのか。

いつもなら、もう挿入しているときである。

最近はやや側臥位《そくがい》で、夫人の股間に入っていく。

むろん、夫人の秘所はこれまでの愛撫で充分潤《うるお》っている。

だが、そこに入っていくものがない。

「なぜ……」とつぶやき、再び自分のものに触れてみる。

右手は夫人の背に当てられているので、左手でまさぐってみるが、肝腎の所は相変わらず、縮まったままである。

「もう、駄目かも……」

気楽堂は思わず首を傾《かし》げて、心のなかでつぶやく。

こんなことが、おきるのか。

いや、いつかはくるかも、とは思っていた。

しかし、なにも選《よ》りに選って、いまおきることはないだろう。

夫人を抱き寄せて愛撫を重ねている、こんなときに駄目になるとは……。

「おい」

気楽堂はいま一度、自分に触れてみる。

それは間違いなく、自分の局所そのものである。

いったい、こんなことがあっていいのか。

いや、こんなことが本当におきるのか。

すぐ横に女性が横たわっているのに、肝腎のところは縮こまったままである。

これが不能ということなのか。

年齢《とし》をとると、いつかは訪れる。そして男たちすべてに訪れる不能とはこのことなのか。

そして、この訪れは他人と比べて早いのか遅いのか。

他の男たち、たとえば同期の仲間たちはどうなのか。

とにかく、彼等の誰も、このことについては触れていない。みなすべて、「われ関せず」というように黙りこんでいる。

「なぜ……」

もちろんそれは、改めていうまでもないことだからに違いない。

他人に告げて自慢になることでも、誇れることでもない。だから、みな黙って知らぬ顔をきめこんでいるのか。

しかし、これはとてつもないことではないか。男が男としての役目を果たせなくなる大事件が生じたのである。

事実いま、抱くことくらいはできるが、そのあと、性的関係を結ぶことは不可能である。

しかし、夫人は当然のことながら、そうされることを待っている。

実際、彼女は自分と性的関係を結ぶために、このベッドに入ってきたのである。

だが、いまは満たしてやれない。

いや、いまだけでなく明日も、そして明後日も、もはや交わることは不可能なのか。

待て、もしかして明日はできるようになるかも……でもわからない。

それにしても、これまで肝腎のところが勃《た》たなくなったことなど一度もなかった。

もちろん、今夜は少し疲れているとか、いつもよりは元気がないかも、と思ったことはある。

だが、女性とベッドに入り、肌を合わせていたら、股間はごく自然に勃ち上がってきた。

まして今夜は、二年前から愛を交《かわ》し合ってきた殿村夫人である。

とくに緊張したわけでもないし、といって飽きてきたわけでもない。

ともに充分、馴染《なじ》み合って、安心し合える相手である。

そしてバイアグラも、出がけに間違いなく服《の》んでいる。

それなのに、今夜は勃ち上がるどころか、われ関せずとでもいうように、ひっそりと静まり返っている。

「これが、そうなのか」

正直いって、気楽堂は、「不能」という言葉をつかいたくない。

なぜか、それをつかった途端、自分のものが不能となって定まるような気がして怖い。

「しかし、いよいよそうなのか……」

気楽堂は改めて、自分の年齢《とし》を思い返してみる。

「七十三歳と半年……」と、考えるまでもなくわかっている。

この年齢は、不能となるには早いのか遅いのか。いや、早いとはいえない、むしろ遅いほうかも。

気楽堂は密《ひそ》かにつぶやき、一人でうなずいてみる。

気楽堂と、なにやら奇妙な名前を名のってはいるが、本来は国分隆一郎《こくぶりゆういちろう》という整形外科医である。

都内の大きな公立病院の医長をしていたが、六十五歳になったのを機に病院を退職して、個人で医院を開業することにした。

場所は思いきって賑《にぎ》やかな青山通りのマンションの二部屋を買い取り、そこで開業準備をはじめたところで、妻の富美子《ふみこ》が突然病いに倒れた。

まさに「好事魔多し《こうじ》」というか、妻の病名は膵臓癌《すいぞうがん》だった。

驚いた気楽堂は都内の病院を駆けめぐり、懸命に治療に努めたが、効果なく、二年後に妻は亡くなった。

あんなに明るく元気だった妻が自分より早く亡くなるなど、予想だにしていなかったが、それにしても現実は無常すぎる。

そのまま、気楽堂はなにもする気がおきず、呆然《ぼうぜん》と過ごすだけだった。

一人いる娘の敦子《あつこ》はすでに嫁いでいて、「お父さん、元気を出して」と、何度も励ましてくれたが、それに応《こた》える気にもなれない。

それにしても、俺はこんなに弱かったのか。

気楽堂は自分で自分に呆《あき》れたが、妻を失って、改めて妻に頼りすぎていたことを知った。

これからは、すべて一人でやっていかなければならない。

「とにかく、立ち上がるのだ」

気楽堂がやる気になったのは、それから半年経ってからだった。

まず医院にする予定のマンションにこもり、開業の準備をはじめる。

看護師は何人採用して、家政婦はどうするか。そんなことも、妻がいてくれたら、みな、てきぱきとやってくれたに違いない。

改めて思い出して、「おーい」と呼びかけて相談したくなる。

しかし、一人でやるよりないのだ。

そのまま頑張って開業にこぎつけたのは、それから、さらに半年あとだった。

「いよいよ、開業できそうだよ」

ほぼ準備ができたところで妻の仏前に報告すると、妻が微笑《ほほえ》んでいるようである。

「とにかく、見ていてくれ」

妻につぶやき、気楽堂はようやく立ち上がることができた。

気楽堂の気持ちが大きく変わったのは、この妻を失ったときからである。

人生、いかに誠実に生きても、いつどこで、いかなる悲劇が待ち受けているかわからない。

それは、医師になったときから、よくわかっていたはずだが、妻を失って、改めて実感した。

「よし、これからの余生は、自分のやりたいことをやって、思いっきり明るく気楽な日々を生きていこう」

かくして、医院名は「気楽堂医院」として、わきに小さく「整形外科」と記したが、自らも「気楽堂」と名のることにした。

医院はマンションの一角なので、手術室はつくれず、外来とリハビリテーションだけだったが、場所が良かったせいか、患者は絶えなかった。

これらの患者が必ずきくのが、「なぜ、気楽堂という名にしたのですか」ということである。

それには、次のように答えている。

「この年齢《とし》になると、難しいことを考えるのが面倒で。とにかく、楽しく暢《の》んびり生きていこ

う と思って」

むろん再婚などする気は毛頭ない。

このまま、家政婦と看護師がいれば、なんとかやっていける。

自分の部屋は、医院を訪れる患者と顔を合わせぬように、医院のある隣りのマンションの二LDKの部屋を借りることにした。

そのうちリビングルームは応接間兼用にして、他の部屋は書斎とベッドルームにした。

「ここで、一人でやっていくぞ」

気楽堂は真っ先に妻の仏前に報告した。

もちろん、真面目にやるつもりだったが、六十半ばを過ぎて一人ではやはり淋《さび》しい。

そのまま、生来の女好きが目覚めたのか、二人の女性と親しくなった。

それが、殿村夫人と楓千裕《かえでちひろ》である。

といっても、そのうちのいずれかと結婚する、などという気はまったくない。

独り身の淋しさを癒《いや》すために、ときに女性の肌に触れたい。そんな気持ちで際《つ》き合っていたのだが、突然、こんなことがおきるとは。

もしかして、不能になったのは、なにかの罰なのだろうか。

とにかく、いま、なんとかしなければならないのは殿村夫人である。

このままでは、なぜベッドに誘って下着まで脱がせたのか、説明がつかない。

だが、肝腎のものは相変わらず縮こまったまま、勃《た》ち上がる気配はない。

「どうしよう……」

ここまで待って駄目なら、もはやあきらめるよりないのか。

しかし、それを夫人にどのように伝えたらいいのか。

「あそこが駄目になったので……」とでもいうのか。

それとも、夫人の手をこちらの股間まで導いて触ってもらうのか。

「こんな状態だから、あきらめて欲しい」と。

いや、たしかにそのとおりではあるが、こんな情けない状態を、夫人に知られたくはない。

それに、たとえ見せたとしても、夫人はかえって不思議に思うに違いない。

「いままで、そんなことはなかったのに、急にどうして？」と。

それに、気楽堂は答えようがない。答えるどころか、こちらがききたいくらいだから、黙っているよりない。

それに、元気がなくなったことを知って、夫人に、自分に魅力がないから、などと思われては困る。

これは、夫人とはなんの関係もない。こちらの一方的な事情で、できなくなっただけである。

「とにかく……」

気楽堂は密かにつぶやき、心を決める。

これはすべて、こちらの責任なのだから、いま、自分として、できるだけのことをしよう。

夫人を抱き寄せて、挿入はできないが手でできるだけの愛撫をくわえよう。

それで夫人が満たされるか否かわからないが、いまとなっては、それで納得してもらうよりなさそうである。

気楽堂は改めて、殿村夫人を抱き寄せる。

先程から、当然、求められるものと思って寄り添ってくれているのに、それらしきことはなにもしていない。

ただ、ときたま思い出したように上体を寄せ、手を背に廻《まわ》して愛撫らしきことはしてきたが、そこから一歩すすんで求めるまでにはいたらない。

これでは夫人が苛立《いらだ》ち、不満を洩《も》らすのも時間の問題かもしれない。

「急ぐのだ」

気楽堂は自らにつぶやくが、股間のものは相変わらず縮んだまま、勃ち上がる気配はまったくない。

「もう駄目だ……」

ついに、気楽堂は自らのものを挿入することをあきらめる。

しかしだからといって、ここですべてをやめるのは勝手すぎる。

ここまで、夫人は愛されるのを期待して待っていたはずである。それになんとか応えたい。

挿入はできなくても、愛撫だけでなんとか納得してもらうことはできないものか。

気楽堂は再び夫人を抱き寄せ、右手で夫人の背からお臀《しり》に触れてみる。

そのまま優しく上下に動かし、やがてその手を徐々に前へ移動する。

どうやら、夫人は気楽堂が本格的に動きだしたことを知ったようである。これからいつものように求められるのだと、感じている。

だが残念ながら、いまはそこまで求めることはできない。

そのことに、「ごめんなさい」と心で謝りながら股間に指を這《は》わすと、夫人の秘所はかすかに濡《ぬ》れている。

「よし……」と、気楽堂は密かにうなずき、さらに右の中指と人差し指を局所に軽く当て、ゆっくりと左右に揺らす。

女性のもっとも敏感なところだけに、強すぎず弱すぎず、指先がかすかに触れるだけでいい。

それは気楽堂が長年、女性に接しながら会得した感触である。

それを二度、三度とくり返すうちに、夫人の秘所はさらに潤いを増してくる。

ここまできたら、もはや間違いない。

夫人はこれまでの愛撫に充分感じ、燃え上がっている。

その証拠に、秘所はさらに潤いを増し、夫人が小さく溜息《ためいき》を洩らす。

この先、なにをしたところで、拒むことはなさそうである。

だが、先程からわかっているとおり、夫人の優しく潤った股間を貫くものはない。

口惜《くや》しいが、いまはそのかわりに、ひたすら秘所をさするよりない。

二本の指で優しく愛撫をくり返すだけである。

これに、夫人がうわ言のように訴える。

「ねぇ、ねぇ、まだなの……」

そんなことをいっているようでもあるが、それに返す言葉がない。

「いま少し待って、すぐだから」

そういって、夫人のなかに入りたい。

いつもはそうして、しかと抱き合ったはずである。いや、そこまで待てずに入ったこともある。

だがいまは、それも遠い過去の思い出のように無縁である。

いや、つい前回まではそうしていたのに、はるかに遠いことのように感じるのは、できなくなったからなのか。

戸惑う気楽堂を無視して、夫人は昇りつめていく。

「ねぇ……」

短く、鋭い声が夫人の口から洩れる。

もはや耐えきれず、限界なのか。

気楽堂がそう感じた瞬間、夫人は「ううっ……」と声を洩らすとともに、全身を震わせ、ぴたと寄り添ってくる。

それとともに、気楽堂は夫人の躰を両手で受けとめる。

「果てたのか……」

たしかめたわけではないが、気楽堂はそのまま夫人の全身をしっかり抱き締めてやる。

ともかく、いまはこうして抱き続けているよりない。

夫人のほうから離れだすまで、この姿勢は崩せない。

「なにも、挿入していないのに……」

申し訳なく思っている気楽堂に合わせるように、股間のものも縮んだまま頭《こうべ》を垂れている。

そのまま数分経って、殿村夫人はようやく落ち着いたようである。

いや、そこまで直接たずねて、たしかめたわけではない。

だが、いま軽く突っ伏したまま静かに横たわっているところをみると、いっときの興奮状態からは醒《さ》めている。

「よかった……」

気楽堂は心のなかでつぶやく。

もし、こちらが下着まで脱がせておきながら挿入もせず、眠ったふりをしていたらどうなったか。

「あなたは、わたしをもてあそんでいるの。途中まで快《よ》くしておいて、突然、素知らぬ顔をするなど、ふざけるにもほどがあるわ」

そんな言葉を、一気に浴びせられたかもしれない。

いや、夫人は良家の子女だから、そんなことまでいいだしはしない。

それより黙って、一方的に燃え上がった躰を恥じるように顔を伏せ、衣服を着はじめたかもしれない。

それはそれで、その場はとりなせたとしても、以後、夫人は自分に対して、なにを考えているのかわからない、いつ突然、気が変わるか知れぬ人、と思いこむようになったかもしれない。

むろんそのことに対して、こちらから説明などできない。

また、たとえきかれたとしても、正直に「突然、不能になって……」と答えられるわけでもない。

いや、たとえそのとおり答えたとしても、夫人がその事実を素直に理解してくれたとは思えない。

とにかく、大変なトラブルが生じるところだったが、それにしても、なんとかおさまったのは、こちらの対応がよかったからか、それとも夫人が大人だったからか。

ことの真意はともかく、いま夫人がある程度、落ち着いていることは間違いないようである。

そこで、気楽堂は改めて夫人を抱き寄せ、その耳元にかすかに囁《ささや》く。

「ありがとう、素敵だったよ」

自分はともかく、夫人が素敵だったことは、まぎれもない事実である。

さらに数分、横たわってから、気楽堂はゆっくりベッドから起き上がり、隣りの部屋に移って服を着はじめる。

いつもは、もう少しベッドで軽い接吻《くちづけ》などを交して戯《たわむ》れているのだが、今日だけはそんな気持ちになれない。

気楽堂が起き上がったのを知って、夫人もベッドから抜け出したようである。

気楽堂が書斎の椅子に坐《すわ》っていると、服を着た夫人が現れた。

「ごめんね……」

なぜともなく気楽堂はつぶやき、ベッドに入る前、テーブルにおいてあったグラスにウーロン茶をそそぐ。

「あ……もう結構ですから」

夫人は一旦《いったん》、坐るのかと思ったが、そのまま帰るつもりらしい。

まだ九時だから、いつもより一時間近く早いが、気楽堂も、なにか引き留める気がしなくて、そのまま玄関へ向かう。

そこで夫人が靴を履き終えたところで、振り返る。

「じゃあ……」

「ありがとう、気をつけてね」

気楽堂はそこで思いきって手を出し、戸惑っている夫人の右手をしっかりと握る。

「また、連絡するよ」

その一言に夫人は軽く微笑み、一礼してドアを開ける。

「お休み」

今度は夫人は軽くうなずき、ドアが閉まった瞬間、夫人の去っていく足音が消え、部屋は夜の静けさにつつまれる。

「帰った……」

とくに話し合ったわけではないが、今夜、夫人はなにか少しおかしい、と感じたようである。

その理由は、このあとも話す気はないが、気楽堂は気楽堂なりに、考えなければならないことがある。

第二章　愛のさなかに

夫人と別れてからも、気楽堂の頭のなかは不能のことで占められていた。

「それにしても甘かった」

これまで、局所が勃《た》たなくなったことが、なかったわけではない。

それは高齢になってからというより、若いときにも、ときどきあった。

たとえば、初めて女性と関わり合ったとき。

十九歳だったが、緊張しすぎてスムーズに勃ち上がらなかった。

もっとも、相手の年上の女性が、「ゆっくりね」といってくれて、立ち直ることができた。

さらに、二十代から三十代のときも、慌てたり、頑張らねば、と思ったりして、かえって勃たなかったこともあった。

しかし、それらはいずれも一時的なもので、少し時間をおけば正常に戻って、勃起《ぼっき》することができた。

それだけに、これらは不能というのとは意味が違う。それより、強《し》いていえば、「瞬間的不能」とでもいうべきものかもしれない。
だが、今日のは、はっきり「不能」そのものであった。
あれ以上、時間を得て待ったとしても、恢復《かいふく》するものではない。
いいかえると、委縮した状態が固定してしまったようである。
実際、いまも自分のものに触れると、小さく縮んだまま股間に垂れ下がっている。
なんと情けないというか、頼りない状態なのか。
気楽堂は改めてズボンを下ろし、自らのものに触れてみる。
はっきりいって、見たところは、以前とまったく変わらない。
とくに大きくなったり、小さくなったわけでもない。
夫人と一緒のときのまま、穏やかに静まり返っている。
気楽堂はいま一度たしかめるように、自らのものに触れてみる。
「それにしても、不用意であった」
これまで、女性と何度も関わってきたが、やはり事前にたしかめておくべきであった。
「今日は、大丈夫か？」
そう思って、自らのものに触れてみる。
七十を過ぎたら、それくらいの用心はするべきかもしれない。
いま思い返してみると、今日は初めから、なにか元気がなかったような気がする。

実際、いままでなら、これからおこなわれることを想像するだけで局所が強張《こわば》り、逞《たくま》しくなるのを感じることもあった。

たとえそこまでゆかなくても、二人になり、夫人が徐々に服を脱ぎ、白い肌をさらしていくのを見るだけで股間は強張り、勃ち上がってきた。

だが今夜だけは、まったくそんな気配はなかった。

間違いなく、これは異常であった。いままでとはまったく違っていたのに、平然と構えていたのは怠慢《たいまん》であった。

「しかし……」と、気楽堂はつぶやく。

正直いって、不能を体験するのは初めてである。むろん、これまでもできないことはあったが、それは遊びすぎたり、疲れ切ったあとだった。

だが今回は、そんな無茶はなにもしていない。

五日前、千裕と関係して以来、初めてである。しかも、この頃は事前に必ず、バイアグラを服《の》んでいる。

だから大丈夫だと、たかをくくっていた。

正直いって、駄目になるなど、思ってもいなかった。

それにしても、年齢《とし》をとると、好ましくないことは無数に出てくる。

実際、高齢者はみな、「この頃、腰が痛くて」「肩がこって……」「疲れやすくて……」などと平気でいっている。

さらには、「もの忘れがひどくて」「名前を思い出せなくて」「呆《ぼう》っとしていて」といったことも、隠さず訴えている。

この種のことは、あきらかに年齢をとったことによって生じる恥ずかしいことに違いないが、なぜ、不能だけは公言しないのか。

いや、ときどき、「もう、最近はぜんぜん駄目で……」とか、「あちらのほうは、とうにあきらめています」などという男はいるが、いつから駄目になったとははっきりいわない。

なにか常に漠然と、誤魔化したようないい方をするのはなぜなのか。

性に関わることだから、曖昧《あいまい》にしておくべきだ、とでも思っているのか。

しかし、性に関わることは、まさしく重要なことである。それは考えようによっては、人生でもっとも根源的なものである。

それを、なにか自分と関係ないようないい方をするのは、やはり、あくまで隠しておきたいからなのか。

でも、高齢になったら、人間誰しも不能になることは避けられない。

それはごく自然なことだけに、ことさらに曖昧に、隠しておく必要もないはずである。

いつから不能になったのか。

その程度のことを話したからといって、とくに恥になったり、不名誉になることでもないだろう。

「俺なら、はっきりといえる」

気楽堂は、自分の机に向かってつぶやく。

「不能というより、弱くなったと感じはじめたのは、六十代の後半からである」

その二、三年あとから、バイアグラをつかいはじめたはずである。

もちろん、このことは友人にも告げたし、それで充分、カバーしきれると思いこんでいた。

だが、それさえ無効になったのは、まさしく本日、今夜からである。

「そう、七十三歳の初夏からである」


その夜、気楽堂は改めて医学書をひもといてみた。

実際、医学的に不能はどのように定義づけられているのか、それを知りたかった。

だが、意外なことに、医学大事典には「不能」という言葉が見当たらない。

なぜなのか。不能は医学的な問題ではないとでもいうのか。

たしかにこれ自体、病的な状態とはいえないかもしれないが、多くの男性にとって重要、かつ深刻な事態である。

それを無視するのは、医学大事典として大きな欠陥ではないか。

呆れながら、続いて広辞苑を開いてみると、こちらにはたしかに「不能」という言葉が載っている。

しかしまず、「才能のないこと」「はたらきのないこと」などと記されている。

これらは、性的問題とは別のこととして記されているようだが、「たしかにそのとおりだ」と気楽堂は思わず苦笑する。

広辞苑はさらに、「できないこと」「なし得ないこと」などと続き、最後に「性的能力がないこと。インポテンツ」と記されている。

ようやく肝腎の言葉が出てきたが、広辞苑の編纂《へんさん》者も、ここだけはなにか気恥ずかしげに記したのか。

とにかく、この程度では簡単すぎて調べたことにならない。

そこで気楽堂は、一段大きな医学大事典を広げてみる。

さすがに、こちらにはきちんと出ていて、まず「陰萎《いんい》」と記され、さらに「インポテンツ」と記されている。

なるほど、日本語では陰萎というのか。

気楽堂はうなずくが、この言葉をきくのも漢字を見るのも初めてである。

おそらく、他の日本人もほとんど知らないと思うが、かわりにドイツ語の「インポテンツ」という言葉が一般的になっているのは、考えてみると不思議である。

日本語は世界の言語のなかでも、とくに語彙《ごい》の豊かな言葉だといわれているのに、不能に関してだけドイツ語を記すのは、なぜなのか。

肉体的に不名誉な、恥ずべきことに日本語をつかうのは好ましくない、とでもいうのか。いや、それ以上に、日本語ではなにか、そぐわない、とでも思ったのか。

ともかく、「陰萎」という言葉は珍しくて面白いと、気楽堂はメモしておく。

続いてフリー百科事典ウィキペディアを調べてみる。

ここではまず、「勃起不全」（英語でErectile Dysfunction）は、男性の性機能障害の一種で、陰茎の勃起の発現、あるいは維持ができないために、満足に性交のおこなえない状態をさす、と記されている。

さらに、性交時に有効な勃起が得られないため、通常性交のチャンスの七十五パーセント以上で、性交がおこなえない状態であるという。

たしかにそのとおりかもしれないが、七十五パーセントとは、どこから引き出してきた数字なのか。

気楽堂がいまおちいっているのは、高齢による、百パーセントの勃起不全だと思うが、これはどの分類に入るのか。

ところで、目次はなかなか派手で、不全の概要から、性機能障害と勃起不全、加齢と勃起不全に触れ、続いて、機能性勃起障害と器質性勃起障害、さらに混合性勃起障害、薬剤性勃起障害などに分けられている。

くわえて、危険因子として、新婚性勃起障害が記されているのが面白い。

これらの診断には、夜間陰茎勃起測定というものがあり、まず陰茎硬度周径連続測定装置から、エレクチオメーター、スナップゲージ、スタンプテストなどをつかって、おこなわれるとか。

たしかに、気楽堂の知っているカップルで、結婚後一年で別れた夫婦がいた。夫婦とも穏やかな人で、なにも問題がなかったように思ったが、あとできくと、男性はインポテンツで、性交がまったくできなかったとか。

もし、この事実を、女性が事前に知っていたら、結婚はしなかったろうに。

ところでこれらの治療だが、まず投薬治療、次いで手術による治療があり、さらに血管作動性薬剤陰茎海綿体注射、そして体外陰圧式勃起補助具などがあるらしい。

続いて、「概要」を見ると、勃起困難、硬度不足などの他、性交途中にもかかわらず、勃起を維持できない症状、いわゆる「中折れ」もEDである、と記されている。

さらに、性機能障害の定義として、性欲・勃起・性交・射精・極致感のいずれか一つ以上、欠けるか、もしくは不充分なもの、ということになるらしい。

ウィキペディアの記事はさらに続く。

それによると、勃起不全に悩む人は、加齢にともない増加傾向にあり、器質性のEDは五十代以上に多く見られるが、心因性のものは若者にも多く見られるようである。

とくに近年、先進国では健康寿命が長引く傾向にあり、永《なが》く性生活を楽しみたい、と考える老年者が増えてきたことが、最近ＥＤが注目される要因とも考えられている、と。

たしかに、それはそのとおりで、気楽堂自身も、そのなかの一人だといわれたら、うなずかざるをえない。

データーが少し古いが、一九九八年にアムステルダムの国際インポテンス学会で発表された統計によると、その罹患《りかん》率は、四十代前半で十六パーセント、四十代後半が二十パーセント、五十代前半が三十六パーセント、五十代後半が四十七パーセント、六十代前半が五十七パーセント、六十代後半が七十パーセントであったとか。

たしかにこれを見ると、かなり高い罹患率だが、それらはバイアグラを服《の》むなど、なんらかの方法でおさまるものなのか、それとも生涯、恢復《かいふく》しないのか、いまの気楽堂にとっては、そこが問題である。

そこで、加齢と勃起不全について調べると、年齢別に見た場合、若年の群より老年の群のほうが、当然、性行為の頻度は低くなるが、さらにテストステロンの合成が減少し、精巣にも若干の萎縮が認められ、海綿体平滑筋の充分な弛緩《しかん》もままならなくなる、という。

しかし、老人を対象とした性欲調査では、八十から九十パーセントの男性が、性欲はある、と答えている。

とくに、一九八五年に、日本の六十歳以上の老人クラブ員を対象にした調査では、九十パーセントが性欲があると答え、性行為を求める者が、六十・四パーセントであったとか。

これに対して、高齢の女性では、老人性膣炎《ちつえん》や膣萎縮症《ちついしゅく》、子宮の萎縮によるオーガズム時の痛みなどにより、性交渉が困難になる場合があるが、これらはエストロゲンなどの投与で、改善される可能性があるという。

とすると、七十三歳の気楽堂が、高齢によるインポテンツになるのは仕方がないし、女性に性欲があるのはむしろ自然というか、当然と考えてよさそうである。

「そうだろう」と、なぜともなく、気楽堂は一人でうなずいてみる。

どうやら、単純な辞書や正規の医学事典を調べただけでは、不能やインポテンツの実態について、深く、突っこんだ説明は得られそうもない。

それより特殊な本、たとえば医学全般について、むしろ興味本位に、趣向的に書かれた本のほうが、より突っこんで書かれているかもしれない。

気楽堂はそう考えて、書庫からその種の本を探し出してきて開くと、まずインポテンツの定義が記されている。

「インポテンツとは、ペニスが勃起しないことだと思われているようだが、それだけではない。その他に、性欲、勃起、性交、射精、オルガスムスのうちの一つ以上欠けて、かつ不十分なものをさす」

このあたりはすでにわかっているが、具体的にどういうものを含むのか。

そこで読みすすめると、本文の説明自体、なかなかユニークな文章で記されている。

「女性自身に触れた途端に射精するバンザイ型や、長くセックスを続けていても、勃起したまま射精しない、女性コケシ型も、インポテンツに含まれることになる」

バンザイ型とか女性コケシ型とは、面白い表現だが、こういう男性もいるのだろうか。

気楽堂は改めて、セックスの複雑さと多彩さに感心する。

さらに本文を読んでいくと、「インポ、いわゆる性交不能者は、器質的なものと機能的なものに分けられる」と記されている。

「このうち、前者は脊髄《せきずい》などに外傷を受け、勃起神経が傷害されて起こるものと、こうした傷害によらず、性行為への過大な期待から、かえって不能になる、いわゆる心理的原因によるものとが考えられる」と。

医師である気楽堂には、このあたりのことはよくわかる。

もっとも、インポテンツの原因として、器質的と機能的と二つの要因が考えられることはたしかだろうが、いま気楽堂がおちいっているのは、どこかに傷害がある、といった器質的なものではない。

そうではなく、加齢による単純なインポテンツで、病的とはいえない。

とすると、いまの状態は正常なインポテンツということにでもなるのだろうか。

ユニークな本の説明はさらに続く。

「ここで勃起、いわゆるエレクチオンについて考えると、これは普段はマシュマロみたいに軟らかいペニスに、動脈から大量の血液を送り込んで充血させることにより、ペニスが上を向いてそそり立つようになることである」

なるほど、そのとおりだと、気楽堂は素直にうなずく。

「これがいわゆるボッキといわれる現象で、英語ではエレクション。ドイツ語では同じ綴《つづ》りで、エレクチオンといわれる」

定義が記されたあと、さらに面白い解説が続く。

「ところで、この勃起の角度は、その男性のセックス・パフォーマンス（性的能力）にほぼ比例するもので、飛行機の離陸上昇角度が、エンジンの馬力に比例するのとよく似ている」

これまで、気楽堂は勃起角度などということを考えたこともなかったが、いわれてみると、わかりやすいたとえである。

たしかに若いとき、それこそセックスに目覚めた頃は、自分のペニスはほぼ真上を見るように勃《た》ち上がっていたが、あの頃はペニスの馬力がよかった、ということなのか。

「今、急角度に、地上に七十度くらいの角度で急上昇する飛行機並みのものと、五十度前後から、さらに旅客機並みの三十度から二十度と、ゆるやかに昇るケースと、さまざまである」

飛行機を例にあげて説明しているところが、なにかおかしい。

さらにこの著者は、読者を面白くさせようと思ってか、高齢者のケースまで具体的に記している。

「実際、中年になると、上昇角度は二十度前後になり、さらに五十歳から六十歳代になると十度前後で、辛うじて離陸することになるようである」

たしかにそうだが、余計なお世話だと、気楽堂は一瞬腹立たしくなるが、本文は次のように締めくくられている。

「このように、勃起能力は加齢とともに徐々に衰えるが、このうち十度以下となり、離陸が不可能になったケース、これを不能と考えると、わかりやすいかもしれない」

「いや違う、十度以下でなく、初めから勃ち上がる気配もないものを不能というのだ」と、気楽堂は本に向かっていってやる。

さらに、気楽堂はバイアグラについて書かれた資料を探して読んでみる。

それによると、バイアグラはシルデナフィル、ともいわれ、本来は肺動脈性肺高血圧症（狭心症）の治療薬としてイギリスのファイザー研究所により、開発されたものらしい。

この薬が狭心症の治療薬として開発研究がはじまったのは、一九九〇年代の前半だとか。

しかし、当時は狭心症に対する治療効果はあまりはかばかしくなく、試験的使用の中止を決めたが、被験者が不要になった薬の返却を拒むので、研究者が理由をきくと、陰茎の勃起を促す作用があることがわかった。

そこで、使用目的をこちらに変更して、一九九八年から発売されることになった。

こうして欧米で発売されるや、マスコミやインターネットなどで、「夢の薬」さらには「画期的新薬」としてもてはやされ、日本でも発売されるようになった。

ところが、日本では発売後、間もなく、高齢者で狭心症を患《わずら》い、ニトログリセリンなどを服用していた患者が、個人輸入で入手した。そしてこれを性行為をおこなうために利用したところ、心肺停止を起こして死亡する、という事件が発生した。

このため、日本では安全性を考慮し、医師の診断と処方箋《しょほうせん》が必要となる医療用薬品としてあつかわれることになった。

しかしその実、日本では国内での臨床試験だけでなく、欧米の承認データーも合わせて、一九九九年一月に製造承認がおこなわれ、三月にはファイザー社から医療機関向けに販売された。

当然のことながら、この措置に多くの高齢男性たちは喜んだが、このようなやり方を批判する意見も多かったようである。

実際、この種のスピード審査は、それまでは治療上の学術性が高い、抗ＨＩＶ治療薬などにおこなわれてきた。しかし安全性の確認がなされていた経口避妊薬の認可申請が、十年近くにわたり却下され続けて、一九九九年六月にようやく承認されたことと比較すると、まさに異様な速さであった。

当然、このことに、各種健康保険団体や医療関係者から、きわめて恣意《しい》的であると疑問視する声があがった。

この背景にどのような事情があったのか、いまとなっては不明だが、認可に当たった関係者のなかにも、この薬を早急に求める人々が多かったから、ともいわれている。

バイアグラ（シルデナフィル）の作用機序だが、この成分は、生体内で環状グアノシン一リン酸の分解をおこなっている、五型ホスホジエステラーゼの酵素活性を阻害するらしい。

これが結果として、陰茎周辺部の神経に作用して血管を拡張させ、血流量が増えることによって勃起を促し、維持させると考えられているようである。

実際、勃起不全の症状がある場合、この薬（錠剤）を性行為の三十分から一時間前に服用すると、陰茎が勃起し、性行為が正常におこなえるようになるという。

実際それは気楽堂自身も体験していることだが、本文はさらに注意事項として、陰茎に適切な物理的刺激をくわえない場合には勃起しないこともある、と記されている。

また、これ自体では性的な気分を高揚させる効果もないようである。

さらに、この薬は陰茎の勃起に効果はあるものの、精子の運動量や精子数及び射精量を増やす効果はない、と明記されている。

以上の結果から、射精時にほとんど精液が出ない、いわゆる「空撃ち」の状態を癒すことも不可能である、と記されている。

はっきりいって、これらは気楽堂はすでに充分、承知していることである。

それだけに、バイアグラに対して、正規に認められている効用以外のことを期待していたわけではない。

それより、いま、気楽堂自身が知りたいのは、すでに年齢的に不能になった、いわゆる高齢不能に対して効く薬はないのか、ということである。

年齢《とし》をとっても、あそこが勃つことはできないものか。

だがここまで読んだかぎりでは、そのようなものは皆無のようである。

とにかくこのままでは、あきらめるよりなさそうだが、といって、素直にあきらめる気になれない。

なんとか、女性と接したときに、局所だけ、自然にふくらみ、勃ち上がることはできないものか。

いま、気楽堂が望んでいるのは、ただそれだけである。

本文の説明はさらに続く。

このバイアグラ（シルデナフィル）は、陰茎にかぎらず、脳を仲介とした血管拡張を促進する作用があることから、その後、種々の疾患に対する効果が研究されてきたようである。

たとえば、慢性心不全や肺高血圧症、さらには心臓手術における開心時、あるいはその後の急性肺障害などにも利用されてきた。

このように、利用される範囲は次第に広がりつつあるが、この薬の副作用はどうなのであろうか。

この点についてはすでに触れてきたように、ニトログリセリン等の硝酸塩系薬剤と併用すると、副作用として血圧の急激かつ大幅な低下が起こることがある。

また、性行為時には心拍数、血圧、心筋酸素消費量が増加して、心臓への酸素供給に支障をきたす狭心症的症状があらわれることがある、と記されている。

とくに、この薬の服用時に狭心症発作に見舞われ、救急病院に搬送された場合、服用者がバイアグラの使用を告げずに、硝酸塩系薬剤を投与され、かえって症状が悪化して死亡したケースもないわけではない。

それだけに、性交中にこの種の症状が生じたときは、医師に正直に、バイアグラを使用した事実を告げるべきである。

このため、ファイザー社では、医師や薬剤師への禁忌情報を流すとともに、錠剤パッケージの裏に、ニトログリセリン等、硝酸塩系薬剤との同時併用ができない旨を明記している。

しかし、勃起不全でバイアグラを服《の》む人は、意外にこういうところまで細かく読んで注意することは少ないようである。

さらに製薬会社では現在、滋養強壮や精力強壮を謳《うた》った健康食品やサプリメントのなかに、シルデナフィルを含むものもあることを忘れないよう、注意を喚起しているとか。

いずれにせよ、成年男子がもっとも欲しがる薬が、高齢者を危険な状態に追いこむ可能性を秘めているとは、なんとも皮肉なことである。

それらは、あまり表沙汰《おもてざた》にこそなっていないが、この種の副作用で亡くなった男性がいることも、否定できないようである。

気楽堂はもちろんわかっているが、日本で正規にバイアグラを入手するためには、医師の処方箋が必要である。

しかしこの薬は健康保険の適用外のため、各医療機関が適時、価格を定めることができる。発売当初は泌尿器科《ひにょうきか》や一般内科の医師などが患者を問診し、勃起不全とわかれば、処方される方法がとられていた。

この一連の検査で、ペニスを医師の前で露出したり、触診させることは、原則として必要ないとされていた。

しかし、恥ずかしがる者が多いので、その後は、簡単な問診だけで処方してくれる診療所も出てきた。

それでも、なお医療機関や薬局へ出向くのは、面倒ということで、個人的に輸入代行業者に頼むケースがあとを絶たなかったが、これらのなかには偽物やコピー薬が混ざることもしばしばであった。

一方、バイアグラと同程度の効力をもっているという薬もできてきて、現在も販売されている。

たとえば、インドのアジャンタ・ファーマ社が製造しているカマグラ、RANBAXY L

ＡＢＯＲＡＴＯＲＩＥＳ社のカベルタ、ＺＹＤＵＳ　ＡＬＩＤＡＣ社のペネグラなどである。

これらの他に、バイアグラに似せた模造品も数多く出廻《でまわ》っているので、輸入品を買うときには、慎重の上にも慎重を期すべきである。

またインドなどで造られている勃起薬には、製造過程で問題のあるものや、品質管理が良くないものも少なくないようである。

以上のことを考えると、日本で、しかるべき病院や医療機関で直接買うのが、もっとも好ましいが、これが意外に利用されていないのが現実である。

この背景には、日本人独特の羞恥心《しゅうちしん》が影響していると思われるが、そこまで気にすることはない。

だいたい六十歳をこえると、いかに頑健そうな男性でも、大なり小なり勃起不全に悩まされるのは、一般的な傾向である。

それだけに、勃起力の衰弱を感じた男性は気軽に医師の助言を受けるべきだが、そういう男性はほとんどいないようである。

これまで、気楽堂は当然のことながら、バイアグラをつかってきた。

初めはハワイにいるアメリカの医師から分けてもらっていたが、いまはその医師の友人から直接受け取っている。

もちろん外国の医師から問診や診察を受けたことはないが、こちらも医師なので、そのあたりは信用してくれていたようである。

このバイアグラを、気楽堂は女性と会う三十分から一時間くらい前に、四錠から五錠くらい服《の》むのが常だった。

この量は、とくに絶対的にこうと決めていたわけではない。

だいたい元気で、とくに身体的に異常がない場合は四錠くらい、少し疲れていると思ったときは五錠くらい服んでみる。

さらに相手の女性に関心が強く、早く抱きたいと思っているような場合は正規の量で充分だが、もう何度もくり返してきて、ややマンネリになりつつある場合は、少し多めに服むこともあった。

以上のようなやり方で、これまで勃起しないことはなかった。

だが、今回の殿村夫人の場合はどうしたのであろうか。

もちろん彼女と際《つ》き合いだしてから二年少し経ち、格別、新鮮というわけではない。

たしかに彼女は若いとはいえないが、躰はいまだに美しく、肌もふくよかで、若い女性のような柔らかさを保っている。

そしてなによりも気楽堂が好んでいるのは、女性の淫《みだ》らさを秘めていることである。

むろん、一目見ただけで、そこまでわかるわけはない。少なくとも、服を着ているときは落ち着いた良家の夫人、としか思えない。

実際、ご主人はある大手製薬会社の役員だから、いわゆる良家の人妻であることに変わりはない。

だが、一旦、衣服を脱ぎ、躰をおおっているものを除くと、見事に変貌《へんぼう》する。

これがあの、落ち着いて控えめな夫人であったかと思うほど、激しく奔放になる。

間違いなく、この大胆さは気楽堂が教えこんだものだが、それにこちらが応えられないとは、「情けない」としかいいようがない。

改めて振り返ると、あの日、気楽堂は夫人と会う前に、間違いなくバイアグラを四錠服んだはずである。

これまでも、四錠だったし、それで充分、有効であった。

それなのに突然、不能になったのはなぜなのか。

バイアグラに関わる資料はいろいろあるが、いずれも、なぜ効くかということばかりで、効かなくなったときのことについては、まったく触れていない。

しかしバイアグラも効かなくなるときは必ずくるはずである。そのときについて書いていないのは、不親切すぎないか。

むろん、そういうことが生じたら、「それは、おまえが悪い」ということになるのかもしれない。

しかし一度でもつかって元気をとり戻した以上、最後まで見届けてくれるのが、薬の責任ではないか。

気楽堂は文句をいいたくなるが、薬にそんなことをいっても無意味である。

それより、問題は自分の躰《からだ》である。

この躰がさらに弱ってきた、ということか。

いや、この場合は、手足や内臓が弱ってきたのとは意味が違う。

そうではなく、バイアグラが局所に効かなくなってきたのである。

本来の、ペニスの血管を拡張して、血液量を増やす働きをしなくなってきた、というだけのことである。

いいかえると、躰自体にとくに変化はないが、ペニスは変わってしまった。バイアグラを受け入れて血管を拡張させる、その能力を失ってしまった、ということである。

では、どうするべきか。

気楽堂はそこで腕組みして考えこむ。

そのまま首を傾げているうちに、いくつかの疑問が生じてくる。

あれは、横にいたのが殿村夫人だったから、不能になったのではないか。夫人には失礼だが、彼女でなかったら、あのような状態は生じなかったのではないか。

たとえば、もっと若い楓千裕であったら、なにごともなく、おこなうことができたのではないか。

「どうだ？」

気楽堂は自らにもう一度、きいてみる。

第三章　定まりぬ

いま気楽堂が際《つ》き合っているのは、殿村夫人と楓千裕の二人である。

殿村夫人は五十二歳、気楽堂が学会で札幌に行ったとき、同じ飛行機に乗り合わせ、隣りのスーパーシートに座っていたのがきっかけで知り合った。

それ以来、東京で会い、食事などしているうちに親しくなった。

いま一人の楓千裕は、かつて気楽堂が勤めていた病院にいた看護師で、まだ二十九歳である。

二人もの女性というべきか、わずか二人というべきか。ともかく二人ともそれなりに美しく個性的で、気楽堂は気に入っている。

ところで、突然不能になったことだが、これは相手の女性によって恢復《かいふく》することもあるのだろうか。

たとえば、殿村夫人とはできなかったが、若い千裕となら可能になるとか。

それも、今度はバイアグラの量を少し増やして、関係する前に充分、休養をとって、挑んでみる。

とくに、千裕のような若い肉体に接したら、もしかしてできるようになるかも。

気楽堂は改めて、さまざまな状況を考えてみる。

たしかに、あのとき突然、不能という状態になったが、それで定まったわけではない。

あれは、いっときの現象で、状況が変われば、あそこも変わるのではないか。

たとえば、相手がかわり、こちらの躰《からだ》の状況も変えてのぞんだら、性交も可能になるかも……。

もし、そんなことになったら、完全な不能とはいいきれない。

たしかに、不能に近い現象はおきたが、それは一時的なことで、不完全不能とでもいうべきことかもしれない。

とにかく、そのあたりをきちんと見きわめて、対策を考えるべきではないか。

はっきりいって、気楽堂はまだ自らを不能と決めつけたくはない。

たしかに勃《た》たなくはなったが、あれは一時的なもので、時間をおき、状況を変えたら、再び以前のように恢復するかもしれない。

「そんな簡単にあきらめては、駄目だよ」

気楽堂は自ら自分のものを励まし、「そうだろう」とつぶやいてみる。

不能になって以来、気楽堂は改めて局所の様子を見てきたが、今日までとくに変わった気配はない。

むろんそこが強張ったり、逞しさを増したわけでもない。

不能になったときのまま、穏やかに垂れ下がっているだけである。

しかし、尿意をもよおしたときや排尿のときには、それなりに少しふくらみ、きちんと小水も出る。

ペニス本来の役目は、充分、果たしていて、なんの問題もない。

ただ、ペニスのいま一つの仕事というべきか、役目というべきか、ペニスが女性の膣《ちつ》のなかに入るために逞しくなる、その能力だけが冒されているようである。

いや、これはペニス本来の仕事とは少し違うかもしれない。

実際、ここが勃たなくなったからといって、とくに体調が悪くなるとか元気がなくなるわけでもない。

それで、日常生活で困ることはなにもない。

とすると、これはなんのために必要なのか。

そう、女性を悦《よろこ》ばすため。

ただ、それだけのためかと呆れるが、それが男にとっては、ときに信じられないほど重要なことになる。

そしてそれが、男であることの象徴であり、存在証明そのものにもなる。

「待て、そんなことはどうでもいい」

気楽堂は、一方的に走りだした局所への思いをおさえて、携帯の画面に千裕のメールアドレスを出す。

いま、ここで「近く会いたい」と訴えたら、彼女は必ず会ってくれるはずである。

幸い、彼女は自分と関わり合ってから、初めて女性の悦びを知ったようである。

「こんなに快《よ》くなったのは、初めて……」

自惚《うぬぼ》れかもしれないが、彼女自身がそういってくれたのだから間違いない。

千裕をいま一度、悦びの頂点まで押し上げて、自信をとり戻したい。

「よし」とつぶやいて、気楽堂は千裕にメールする。

なにか、切羽つまったようなメールに、千裕は驚いたようである。

とにかく、三日後に会う約束だけはすることができた。

今度の逢瀬《おうせ》は愛のデートというより、相手がかわることによって勃起することはあるのか、それをたしかめるためである。

その前夜、気楽堂は早く休み、その日は出かける前にバイアグラを五錠服《の》み、さらに余分に三錠持っていく。

かくして午後六時半に、渋谷で千裕と会うと、そのまま「TWO ROOMS」というステーキの旨《うま》い店に行くことにする。

むろん、若い千裕は肉が好きだから、喜んで従《つ》いてくる。

しかし最近、気楽堂は歯が少し弱くなってきて硬い肉が苦手である。

そこで、柔らかい上質のサーロインをもらい、それをゆっくり噛《か》む。

これでは、肝腎のものが頼りなくなるのも当然かもしれない。

一人でうなずくが、しかし、こんなことに甘んじているわけにはいかない。

とにかく、肉が出てくると、やっぱりワインを飲みたくなり、いつも飲んでいる赤のシャトー・ラグランジュを頼むが、飲みすぎには気をつけなければならない。

幸い、千裕はさほど酒は強くないので、ともにグラスでもらって、ゆっくり飲みはじめる。

それにしても、いま、ここで肉を食べたからといって、肝腎のときに効きだすのか。

気楽堂はなに気なく、自分の局所の上にそっと手をおいてうかがうが、とくに変わった様子はない。

ということは、大丈夫だということか、それとも難しいということか。

いやいや、食事のときから、あそこがうごめきだすわけがない。

「お肉、美味《おい》しいわ」

若い千裕は、気楽堂より速いテンポで食べていく。

もちろん、どんどん食べて欲しいが、肉とワインで元気になった千裕を、はたして満足させることができるのか。

「つまらぬことは考えるな……」

気楽堂は自らを戒《いまし》め、改めて肉を頬張《ほおば》り、ワインを一気に飲み干してみる。

二時間近くかけて食事を終えたあと、気楽堂は千裕をマンションの自室に連れていく。

もう何度も関係しているので、千裕は当然のように従《つ》いてくる。

部屋は医院があるマンションの隣りのマンションだが、いまは八時を過ぎているので、従業員や患者さんに会うこともない。

気楽堂は部屋に入り、改めて千裕とワインを軽く飲み合ってから、再び自らのものをたしかめてみる。

といっても、千裕に気づかれぬよう、軽く局所に手を当ててみるだけだが、勃《た》ち上がってくる気配はない。

「やはり、駄目なのか」

千裕とは半月前に関係しているが、そのときはなんとかできたはずである。

そんなに逞しかったわけではないが、間違いなく挿入することはできた。

もちろんそのときも射精することはなかったが、気持ちの上では満たされていた。

それにしても、今夜はどうなのか。

はっきりいって自信はないが、ここまできてベッドに誘わないのはむしろ不自然である。

とにかく、トライしてみよう。

気楽堂は立ち上がり、千裕の横に近づき、まず軽く抱き寄せて接吻《くちづけ》をする。

そのあと、片手を軽く引いたまま隣りの寝室へ行き、ベッドの先のスタンドの小さい明かりを点《つ》ける。

瞬間、部屋が淡く浮き上がり、枕が二つ並んでいるのが見える。

出かける前に、あらかじめ準備をしておいたので、あとは横たわればいいだけである。

気楽堂はズボンを下ろし、セーターを脱ぎ、下着だけになる。

そのまま先にベッドに横たわると、千裕が端からそろそろと入ってくる。

淡い水色のキャミソール姿だが、その下はブラジャーとパンティだけらしい。

その上体をゆっくり引き寄せ、両手で抱き締める。

小柄なのにふっくらとして、気楽堂好みの躰《からだ》である。

このまま一気に求めても、逆らうことはなさそうである。

こんな若い子が、相変わらず、自分に寄り添ってくれるのが嬉しい。

「俺を好きか？」

きくまでもないことだと思いながら、あえてきくと、千裕が大きくうなずいてくれる。

「だい好きよ」

「こんな、お爺さんを？」

「変なことといわないで。先生は年齢《とし》をとっていても、子供みたいなところがあって。それに院長先生なのに、ぜんぜん偉そうじゃないんだもん」

そういう感じなのか。ともかく千裕がそう思ってくれるのなら、こんな嬉しいことはない。

気楽堂は改めて千裕を抱き寄せるが、肝腎のそこは、相変わらず静かに縮んだまま勃《た》ち上がる気配はない。

「やっぱり……」

気楽堂は自分のものに、きいてみる。

「勃たないのか？」

今夜は、あらゆる面でベストのはずである。

まず、千裕という、若くて生き生きした女性を横においている。

さらに会う前に充分、休養をとり、そのあとバイアグラを服《の》んでいる。

さらにレストランで肉を食べ、軽く心地よくなる程度にワインも飲んでいる。

すべての点で万全。変ないい方だが、勃起には最良の条件を備えているはずである。

それなのに、肝腎のところは、われ関せずとでもいうように、そ知らぬ顔である。

「おい……」

気楽堂は思わず、声を出しかける。

「どうしたんだ、勃てっ！」

できることなら命令して、思いっきり局所を叩《たた》いてやりたい。

だが、肝腎のそこは、なにごともなかったように穏やかである。

「あれだけ、準備をしたのに……」

気楽堂が苛立《いらだ》っているとも知らず、千裕は軽く顔を胸に寄せてくる。

いつもなら、ベッドで抱き合うとともに、一気に下着を脱がせて裸にするのに、今日はどうしたのか。

「早く求めて」と、せがんでいるようでもある。

だが、いまは求められない。

もう少し待ってくれ、というように、気楽堂は千裕の背に手を当て、上から下へ、そして下から上へとさすってやる。

「あっ……」

すでに燃えかけている千裕は、小さく声を洩らしながら、背を軽くくねらせる。

ここまできて、下着を着せたままというのも可哀想である。

気楽堂は、局所が勃ち上がらぬ苛立ちをぶつけるように、千裕のブラジャーを外し、淡い水色のキャミソールも除いてしまう。

瞬間、千裕は甘えるように、「ねぇ……」とつぶやき、今度は自ら下半身をおしつけてくる。

「もはや、ゆかねば」

気楽堂は自らにつぶやくが、股間はなにもきこえぬように静まり返っている。

「こんな馬鹿げたことって、あるのか」

ともかく、このままでは千裕が苛立つのも無理はない。

「どうしても、会いたい」と半ば強引に誘い出し、意味あり気に、ステーキまでご馳走《ちそう》しておいて、いざベッドインしたらなにもしないのでは格好がつかない。

そのうち、千裕が「早くちょうだい」と、いいだすかもしれない。

不安にかられて気楽堂は再び千裕を抱き寄せ、彼女の躰《からだ》をやや仰《あおむ》向けに移し変える。

これまで、千裕とも、やや斜めの位置から挿入して、結ばれることが多かった。

はっきりいって、このやり方なら女性の秘所のまわりを充分愛撫し、燃え上がったところで入っていきやすい。

いま、気楽堂はそれを踏襲《とうしゅう》するように、やや仰向けになった千裕の右半身に手を添えてゆっくりと膣のまわりを愛撫する。

強すぎず、弱すぎず、いまにも求めるように、そして休むように、何度かくり返すうちに、千裕は確実に燃えてきたようである。

「ねぇ、ねぇ……」

ここで挿入しなければ、と気楽堂は焦るが、相変わらず、そこはわれ関せずとばかり、静まり返っている。

「駄目だ……」

焦りと苛立ちで、気楽堂は仕方なく、自らの指を彼女の秘所におしつける。

瞬間、千裕は「あっ」と声をあげ、気楽堂にしがみついてくる。

どうしたのか、正直いってなにがおきたのかわからない。

ただ一つ、はっきりしていることは、気楽堂のものは勃ち上がらず、かわりに千裕の熱い躰が、こちらにおしつけられていることである。

とにかくいまは、その躰をしかと抱き締めてやるよりない。

気楽堂は自分にいいきかせながら、これと同じ状態が、殿村夫人とのあいだでもおきたことを思い出す。

いま、気楽堂は静かに横たわっている。

全裸の女の躰を抱きかかえたまま、静まり返っているのもおかしなものだが、気持ちは萎《な》えきっている。

殿村夫人と千裕と、二人の女性と密接に触れ合っていたのに、肝腎のところは他人《ひと》ごとのように無関心で、うごめく気配もなかった。

「そうか……」

うなずきかけたとき、千裕がつぶやく。

「終わったの……」

千裕は不思議に思っているのかもしれない。自分のなかに、なにも入ってこなかったことに納得しかねているのかもしれない。

だが気楽堂としては答えようがない。

そうだとも、違うともいいたくない。

かわりに、いまできることは、千裕をそっと抱き寄せることだけである。

そのまま、気楽堂は、まったく元気を失っている自分のものに軽く触れながら、うなずく。

不能というのは、すべてのケースに同時におきるものなのか。

Aの女性には駄目だけど、Bの女性には可能というように、差異が生じるわけではないらしい。

相手によって、あるいは多少の違いもあるのかもしれないが、ほぼ同じ時期に同じように不能になるようである。

「そして、これからはこの状態が続くのか……」

そこまで考えて、気楽堂はいま自分の身の上に、改めて不能という状態が定まったことを実感する。

四年ほど前、バイアグラを服《の》みはじめたときから、いつか、そのときがくるとは思っていた。

だが、それが現実になると、なにか大きなものを失ったような、突然、なにもないところに放り出されたような頼りなさを覚える。これでは、男などとは到底いえない。

いや、現実に男でなくなったのだから、それは当然である。

もう、俺は男ではないのだ。

美しい女性を見ても、近づくことも抱き寄せることもできない。欲情することも、狂うこともない。

男でない男になってしまったのだ。

考えるうちに、気楽堂はこのままうずくまり、消えてしまいたい衝動にかられていく。

沈みこんでいる気楽堂に軽く抱かれたまま、千裕はなにごともなかったように、静かに横たわっている。

俺がこれだけ落ちこんでいるのに、千裕はなにも感じないのか。

一瞬、気楽堂は苛立ちを覚えるが、それはこちらの勝手というものである。

いま、横にいる男が、自らの不能を知って唖然《あぜん》としていたとしても、それは千裕とはなんの関係もないことである。

それより、千裕は、気楽堂がいつものように挿入してこなかったことに、意外というか違和感を覚えているに違いない。

もちろん、その違和感を和《やわ》らげるために、気楽堂はいま少し前まで愛撫を重ねたはずである。

それで、満足したか否かはともかく、最後は満たされたように、小さく声を洩らして、抱きついてきたことは間違いない。

不思議なことに、それは殿村夫人の場合も同じであった。

あのときも、気楽堂は自らの不能を知って、最後は懸命に夫人の秘所の愛撫だけをくり返した。

ともかく、二人の女性には、そうすることで許してもらうよりなかった。

そしていま、情事は一段落した。

別にそうだと、夫人も千裕もうなずいたわけではないが、そうと感じてもらうよりない。

気楽堂は千裕を抱いている手をゆっくりとゆるめ、千裕の肌から手を離していく。

「これで、終わりだよ……」

そういうわけではないが、そんな気持ちであることはたしかである。

幸い、千裕もそのあたりのところはわかってくれたようである。

解放された躰をゆっくりと伸ばし、軽くうつ伏せのまま横たわっている。

もし、いえるものなら、気楽堂はここではっきりいいたい。

「ごめん……」

だがそれをいったら、今夜の自分の躰の、そして局所のすべてを説明しなければならなくなる。

しかしそこまでは、とてもいえない。

気楽堂は千裕の柔らかな肌に触れながら、心のなかでつぶやく。

「できなく、なったんだよ」

口惜《くや》しいが、それをいったら、男でなくなってしまう。

その夜、気楽堂は千裕と別れてから、一人で納得した。

「やはり、不能になったのだ」

殿村夫人とのときは、まだたしかだとは思えなかったが、いまはもはや疑いようがない。

今夜は、それなりに充分、準備をしたはずだが、それでも駄目だった。

「俺は完全に不能になったのだ」

そのまま目を閉じていると、誰かに向かって叫びたくなってくる。

「おい、俺はインポだぞ、不能なんだぞ」

それをきいて、医院で働く看護師の羽鳥《はとり》や吉安《よしやす》たちはなんというだろうか。

いや、それだけでなく、昔の女友達や先日行ったクラブの女性たちは、そして医院の従業員たちは……。

「やっぱり」とうなずくか、「ざまあみろ」といわれるか、それともくすくすと笑われるか。

いや、こんなことは絶対、他人にいえない。なにがあっても、これだけはいう気になれない。

気楽堂は自らにつぶやき、それから一人でうなずく。

「黙っていれば、いいのだ」

まったく、なにごともなかったように、このことには触れない。ただ淡々と、自分とは無縁のことだといった態度をとり続ける。

実際、これまで無数の男が、この状態にとりつかれたはずである。同期の北村や江口も、そして老いても健康そうな石原や森下も、みな自分と同じ状態になったはずである。

だが、彼等の誰一人、そんな素振りはまったく見せなかった。そんなことは、自分とは無縁という態度をとり続けていた。

それを見習うのだ。不能なぞ自分とはなんの関係もない。考えたこともないことだ、といった顔をし続ける。

そこまで考えて、気楽堂は「おや?」と首を傾げる。

してみると、これはなんの損害もともなわないことではないか。

大変どころか、改めて失ったものはなにもない。このままいままでどおりの生活が続き、そのかぎりにおいてなんの不便もない。

改めていうまでもないことだが、気楽堂が失ったものはなにもない。

もちろん、お金を失ったり、大事にしていたものを失《な》くしたわけでもない。

さらに、気楽堂の名や医院に傷がついたわけでもない。

たしかに、あの夜から不能になったが、ただそれだけのことである。

そのことで他者から笑われたり、軽く見られることもない。

こちらから、とくにいいだしたり、話題にでもしないかぎり、軽視されたり、不利益をこうむるわけでもない。

実際、そうだから、このことはみな自らの胸に秘めたまま、なにもいわないのかもしれない。

「そうだ……」と、気楽堂は改めてうなずく。

不能になったからといって、なにも嘆き悲しむことはないのだ。

それより、なったおかげでプラスの面は無数にある。

たとえば、これを機に女性と会わなくすれば、まず経済的に楽になるはずである。

これまでのように、余計な外食をしなくてもすむし、誕生日やお祝いの会の度に、高価なプレゼントをする必要もなくなる。

さらに女性を自宅に誘い、さらにはベッドまで招き、さまざまな心くばりをすることもない。

その分だけ、医院の経営に努めれば、医院はますます繁盛し、利益も上がるに違いない。

そして、これで女性との関係を断《た》つきっかけにもなる。

「そうだ」

不能はそろそろ女性関係を断ちなさい、という天からの声なのかもしれない。

このあたりで女性のことは忘れて、そろそろ静かな余生を楽しみなさいという、お告げなのかもしれない。

それで、なにも悪くはない。

いや、悪いどころか、これからが穏やかな人生のはじまりではないか。

気楽堂はおおいに納得し、うなずいてから、「でも……」と思う。

「これで、俺は男でなくなったのだ」

このまま、女性を断って、男一人で生きていけというのか。

いや、それはできない。

もし妻がいてくれたら、なにもできなくても、「妻一筋」ということで、格好がつくかもしれない。

しかし、妻はすでにいない。

そして、これまでの女性とも、つながりを断たねばならなくなる。

そんな状態で生きていけるのか。

もちろん、生きていくだけならできる。

しかし、女性にまったく触れずに生きていくなぞ、あまりに殺風景すぎないか。

それでは、男とはとてもいえない。

女性に興味をもち、追いかけているからこそ男なのだ。

女性を追いかけなければ、生活も楽だし、金もかからない。

その都度、無理して、いいところなぞ見せる必要もない。

だから、女性を追いかけない、というのでは、あまりに情けない。それでは、敗北主義そのものではないか。

男なら、最後まで女性を追いかけるべきである。

女性を追うから、男なのだろう。

男でなくなって、どうして生きる意味があるのか。

それではあまりに虚《むな》しくて、哀れすぎる。

俺は最後まで、男でいたい。女性が好きな男でいたい。

「よし」と、気楽堂は立ち上がる。

深夜、自分の部屋で一人で立ち上がって、どうなるわけでもない。

でも、そこであたりを見廻《みまわ》して、きっぱりとつぶやく。

「俺は男だぞ」

たしかに、肝腎なところは、いまも情けなく項垂《うなだ》れている。

「でも、俺は男だ」

ここに、項垂れているものがあるということは、まさしく男の証《あか》しなのだ。

「これでいい、このままでかまわない」

股間なぞ、どうなったところでかまわない。

「殿村夫人も千裕も、あきらめはしない。放さないぞ」

気楽堂は改めて、自分で自分にきっぱりといいきかす。

たしかに二人とも、これまでのように性的関係を結び、心地よくさせてやることはできないかもしれない。

「待て……」

気楽堂はつぶやき、やがてゆっくりとうなずく。

「満足させてやることは、できるかも」

先程、千裕とは性的には結ばれなかったが、最後は「あっ」と声をあげ、しっかり気楽堂に抱きついてきた。

その激しさは、いままで、挿入していて果てたときと、ほとんど変わらなかった。

いや、見方によっては、それより強かったかもしれない。

そして、これと同じ状況は殿村夫人とのときも、感じたことである。

あのときも、挿入できない自分のものに苛立ち、最後はあきらめたが、夫人自身は悦《よろこ》びを感じたようにしがみついてきた。

二人とは、いわゆる性行為はできなかったが、それなりに、満たされたように感じたが。

もちろん二人とも、挿入されなかったことは、わかったはずである。

しかしそのことに、特別、不満を訴えることはなかった。

もし、あれで納得してくれるのなら、あの方法を徹底的に追求してみたい。

挿入こそしないが、かわりに手と指で。

いや、躰を愛撫することで、そして言葉と接吻《くちづけ》で、彼女たちを満たしてやる。

たしかに、この方法のほうが、女性を満足させるには間違いないかもしれない。

なまじ、ペニスなぞ関わり合わないだけに、こちらの意志のまま、自由に彼女たちの感覚をかきたて、悦ばせてやることができるのではないか。

「そうだ、この方法をさらにきわめるのだ」

気楽堂は自分で自分にいいきかせる。

第四章　ときめき

毎年のことだが、夏になるとともに患者が増えてくる。

今日も開院した午前九時から患者がつめかけて、昼食時の一時間を除いて、夕方五時まで休む暇はほとんどなかった。

気楽堂の思うところ、陽気がよくなるとともに人々が戸外に出る機会が増え、そこでいろいろ怪我《けが》をしたり、足腰を痛めることが多くなるからかもしれない。

さらに学童たちの怪我も増えて、今日も二人が救急車で運ばれてきた。

気楽堂医院は入院施設がなく、応急処置しかできないが、青山通りにあって便利なせいか、怪我ときくと、「まずあそこへ」ということになるらしい。

それらの患者に交じって一人、有賀《ありが》朋子《ともこ》という四十半ばの品のいい女性が訪れた。

医院に近い赤坂の弁護士事務所に勤める女性弁護士のようだが、書類の束を持って廊下を急いでいるとき、突然、つまずき、そのまま腰が痛くなって歩けなくなったとか。

そこでX線写真を撮ってみると、腰の骨にはとくに異常はないようである。

さらにこれまで、腰のあたりが重く感じられることはあったが、今回のように歩けなくなるほど痛くなったのは初めてらしい。

「本当に、突然なのです」

患者の女性は、自分でも信じられない、といった表情である。

たしかに、背中から腰部を調べても、とくに打ったような痕《あと》や、筋肉が傷ついた様子もない。

「これ、よくあるぎっくり腰です」

気楽堂は、すぐ診断名を告げてやる。

「ぎっくり腰ですか」

「そう、きいたことはありませんか？」

「そういえば、父が一度、かかったような気がしますが」

「しばらく立ち坐りは辛《つら》いかもしれませんが、痛み止めと湿布薬をさしあげますから、今日はこのまま休んで下さい」

もともと肌の白い人らしく、くびれたウエストと白い腰のふくらみが艶《なま》めかしい。

その腰を、女性はスリップでおおっている。

「じゃあ、このまま家に戻って休んだほうが……」

「そう、そのほうがいいでしょう」

こんな美しい女性なら、病室があればすぐにも入院させたいが、病室がないので、それは難しい。

「最近の医者は患者を診《み》ないで、パソコンの画面ばかり見ていて不安だ」

患者の多くは、そんな不満を抱《いだ》いているようである。

幸い、整形外科は検査データーやX線の写真より、皮膚や関節、さらには骨格の外形などがそのまま診断の決め手になるので、患者に直接触れて診ることが欠かせない。

とくに気楽堂は患者に直接触れるように気をつけているせいか、人気があるようである。

その日も、診察に追われていると、先日、ぎっくり腰になった有賀という女性弁護士が現れた。

カルテを見ると、初診から三日目である。

「どうですか？」

気楽堂がその後の様子をきくと、彼女は一つうなずいて、

「おかげさまで、いくらか快《よ》くなったのですが、まだ立ち上がったり、坐ったりするときが痛くて……」

容態を告げながら、軽く顔を顰《しか》める。

「やはり、その度に局所に負担がかかるからでしょう」

気楽堂が説明しているあいだに、彼女は看護師にいわれて上衣《うわぎ》を脱ぎ、さらにスカートも下

ろす。

「じゃあ、休んでみて下さい」

薄い下着だけになって、女性弁護士はベッドにうつ伏せになる。

気楽堂はまず背骨の上部をたしかめてから、腰から肢《あし》の方へと触れてみる。

「あっ、痛っ……」

瞬間、弁護士は小さな悲鳴をあげる。

「ここですね」

さらに腰の右の窪《くぼ》みを圧《お》すと、「そこ、そこです」と慌てて訴える。

「やはり、もう少し湿布薬を貼《は》って、静かにしていて下さい」

気楽堂は、皮膚の上から同じ薬を貼るように、看護師に指示してから、思い出したようにいう。

「この病気、ドイツ語では、〝ヘキセンシュス〟というのです」

「えっ、ヘキセンですか?」

突っ伏したまま彼女がきき返すが、わからないのは無理もない。

患者の有賀弁護士は、ベッドの上にうつ伏せのまま横たわっているが、そんな彼女に、気楽堂はさらに説明する。

「ご存じかもしれませんが、ヘキセンというのは、魔女という意味です」

「魔女ですか？」

「ですから、そのまま訳すと、〝魔女の一撃〟というような意味になりますが」

気楽堂がその撃たれたと思う個所を軽く圧すと、彼女はそっと身をよじる。

まだ、局所はかなり痛そうである。

「おかしな病名でしょう」

気楽堂がいうと、有賀弁護士は軽く横向きになって答える。

「でも、その感じ、よくわかります」

「多分、男たちは、魔女に一撃を食らったような気持ちに、なったのでしょうね」

有賀弁護士はかすかにうなずいて、

「でも、女性も撃たれるのですね」

「まあ、女性がやられることは、あまりないのですが」

彼女が腰痛に見舞われたのは、「書類の束を持って廊下を急いでいるとき、突然、つまずき、腰が痛くて歩けなくなった」といっていたが。

「これから、重いものは、男性に持ってもらうようにしなければいけませんね」

「それが、事務所には男性がいないものですから」

それなら、かわりに勤めてやろうかと、ふと思う。

「とにかく、気をつけて下さい」

「ありがとうございます」

患者と、こんなにゆっくり話したことは珍しい。

気楽堂がベッドから離れようとすると、看護師が有賀弁護士の腰に湿布薬を貼りつけている。

もちろん、それは看護師の仕事だが、気楽堂はなにか、自分がかわって貼ってやりたくなる。こんな気持ちになることは滅多にないが、これも不能になったせいなのか。

いや、これは不能とはなんの関係もない。

「つまらぬことを考えるな」

気楽堂は自らにいいきかせて、改めて有賀弁護士のカルテを覗《のぞ》いてみる。

湿布を貼ってもらって、有賀弁護士がゆっくりと立ち上がる。

百六十四、五センチなのか、肥《ふと》りもせず痩《や》せすぎず、ほど良い躰つきである。

カルテには四十六歳と書いてあったが、それにしては肌が白くて初々《ういうい》しい。

服を着終えたところで、彼女は改めて気楽堂の前に坐る。

「夜、休むとき、あまり柔らかいベッドはいけませんよ」

日常生活で注意すべきことを、改めて説明する。

「柔らかいベッドで仰向けに休むと、腰が落ちこんで、かえって痛みが強まります。それより、横になって休んだほうが安全です」

気楽堂を見詰めていた彼女の目がゆっくりうなずく。

睫毛《まつげ》が長く、澄んだ瞳である。

弁護士という仕事柄、いろいろ社会的に難しい事件をあつかうこともあるだろうに、そんな険しい気配はまったくない。

「休むときは両脚を膝《ひざ》のところで九十度ぐらい曲げて、軽く横を向いた姿勢のほうが楽かもしれません」

気に入った患者だと、つい説明が長く、丁寧になるのが、気楽堂の癖である。

「そうそう、胎児の姿勢。赤ちゃんがお母さんのお腹のなかにいるでしょう、あのときの縮こまった姿勢が、腰にはいいのです」

彼女はうなずいて、再び椅子から立ち上がると、軽く横向きになり、少し縮こまったような姿勢になる。

そんな姿を見ているうちに、気楽堂はいろいろなことを想像する。

この女性は結婚しているのだろうか。

もちろん、こんないい女性が、この年齢《とし》まで独身でいるわけはないだろう。

とすると、夫はどんな男性なのか。やはり弁護士なのか。考えているうちに、気楽堂はなに気なくいってみる。

「ご主人にも、そのことはよく説明されて……」

瞬間、彼女がかすかに笑う。

「あのう、わたしは独りなので……」

「えっ……」

思わず、気楽堂の頰《ほお》がゆるみかける。

「本当ですか、じゃあ……」

なにが「じゃあ」なのか。とにかくなぜか安堵《あんど》して、うなずいてみる。

女性の患者に、夫がいるのかいないのか、たしかめたのは初めてである。

いや、たしかめたというより、気になって、なに気なく探ってみた、といったほうが正しいかもしれない。

それにしても、医者が患者に異性として関心を抱くことは、きわめて珍しい、といわれている。

実際、女性の医師が男性の患者にその種の感情を抱くことはほとんどないし、男性の医師にしても、治療している病気を知れば知るほど、そんな気分になることは難しい。

せいぜいあったとしても小児科で、病気の子供のお母さんに好意を抱き、好きになることは稀《まれ》にあるようである。

ところで、整形外科はどうなのか。正直いって、気楽堂がこれまで、そんな気持ちになったことは一度もない。

だが、今回だけは、相手が素敵な女性であるうえに、ぎっくり腰という簡単な病気であるため、気持ちを惹《ひ》きつけられた、といったほうが正しいかもしれない。

しかし、肝腎の有賀弁護士は、気楽堂の気持ちをなにも感じていないようである。

「このあと、いつ、お伺いしたらよろしいでしょうか」

「そうですね、とくに変わりがなければ、三日後あたりはどうですか」

本当はもう少しあとでもいいのだが、早く会いたい。そんな気持ちを込めていうと、彼女は

「わかりました、よろしくお願いします」といって立ち上がる。

なにかこのまま別れるのは惜しい。もう少し話をしていたいが、次の患者が待っているようなので仕方がない。

そんなことを思いながら見送っていると、彼女は一礼して、外来の白いカーテンの先に消えていく。

途端に看護師が次の患者を呼び入れるが、気楽堂の頭のなかは、なお彼女を追いかけている。

「あんな女性と、親しくなってみたい」

心のなかでつぶやくとともに、気楽堂の脳裏に、「不能」という言葉が甦ってくる。

「親しくなっても、おまえはなにもできないんだぞ」

その声をきいて、気楽堂は目を閉じ、椅子に沈みこむ。

午前の診察が終わってから、気楽堂は部屋に戻って食事をとり、そのあと一人でコーヒーを飲みながら、思い返す。

もしかして、あの素敵な有賀弁護士となら、結ばれることができるのではないか。

そのまま目を閉じ、しばらく考えこんでから、「いや……」とつぶやく。

彼女と二人だけになったら、股間のものは勃《た》ち上がるどころか、かえって萎《な》えるに違いない。

それこそ、いいところを見せなければと焦り、結果として惨《みじ》めになるばかりかもしれない。

「無理だ……」

あの、若い千裕にさえ、無残に失敗したばかりである。

そんな男が、あんな素敵な女性と交わり、満足させられるわけがない。

下手に頑張れば頑張るほど、惨めになるばかりである。

それにしても、あそこは男の最大の強みであると同時に、最大の弱みも秘めているらしい。

いまはその弱みにとりつかれ、もっとも頼りなくなっているときだから、奮い立たせることなど考えるべきではない。

それどころかその弱さに馴染み、それに自らの気持ちも合わせていくべきではないか。

気楽堂は改めて自分にいいきかせて、ゆっくり目を閉じる。

そのまま数分経ったろうか。いや、もしかすると一分も経っていないのかもしれない。

なぜか、ふと身震いでもするように首を振り、それから自らにつぶやく。

「俺は男だ……」

そういってから、気楽堂は再び自分にいいきかす。

「どこがどうなろうと、俺は男だ」

瞬間、電話のベルが鳴り、看護師が、「外来の患者さんが待っています」と告げる。


その夜、部屋に戻ってからも、気楽堂の頭から、不能のことが消え去らない。

もしこのまま誰かと愛し合った場合、セックスはどうなるのか。

もちろんできないに決まっているだろう。

おまえは不能になったんだよ。

心のなかで別の声がつぶやいているが、ききたくない。

「やめてくれ」

思わず一人でつぶやき、いやいやをするように、大きく首を横に振る。

「忘れよう」

不能のことを考えていては、自分が惨めになるだけである。それより、もっと前向きに考えよう。

これから、新しい女性を好きになって、新しい恋をはじめるのだ。

たとえ不能でも、女性を悦《よろこ》ばすことはできないのか。

不能でなかったときより、さらに優しく豊かに女性を満たしてやる。

そんな手段はないものか。

気楽堂は冷たくなったコーヒーを飲んでから、いま一度、男女の性について考えてみる。

好きな女性と二人になったとき、男はまず彼女と結ばれることを考える。自らのものを、彼女のなかに挿入し、そこで初めて、ともに合体したと感じることができる。

その挿入という事実なくして、結ばれたとは感じない。

でも、女性の秘所を開き、男のものを挿入しないかぎり、合体したとはいわないのか。愛し合ったとはいえないのか。

そしてそこまで達しないかぎり、女性も愛されたと感じ、悦《よろこ》びを感じることはできないのか。

「いや、そんなことはない……」

気楽堂はかすかに首を横に振る。

挿入しなければ、悦びを感じない、とはいいきれない。

挿入なぞしなくても、女性は悦びを感じることもあるはずだ。

事実、殿村夫人は抱き締めるだけで、ひたと寄り添い、「幸せだわ」とつぶやいたことがある。そして、千裕も、「あっ」と声をあげて、しがみついてきた。

挿入しなければ駄目、というわけではない。

男のそれが躰のなかに入らなければ、満たされないとはかぎらない。

「そして、逆に……」

そこまでつぶやいて、気楽堂は大きくうなずく。

挿入されて、かえって不快になることもないわけではない。

幸か不幸か、気楽堂はそこまで体験したことがないが、挿入することで揉《も》めたり、トラブルになることもあるはずだ。

さらには性行為自体が痛いとか、乱暴すぎるということで、きちんと果てずに終わることもあるだろう。

女性器のなかに、入れればすべてよし、というわけではない。

挿入することは、男にとって満たされる第一歩だが、女にとっては必ずしも悦びへのステップとはかぎらない。

それどころか、男への嫌悪とか、性への不信感につながることもあるはずだ。

「結ばれることが、すべてではないのだ」

そこまでたどりついて、気楽堂はゆっくりうなずく。

これこそ、男と女の性の第一歩であり、スタート地点そのものである。

だがそこから、男女の肉体と感情は無数に変わっていく。

肉体的に結ばれることを、狂おしいほどの悦びと感じる場合と、唾棄《だき》すべきほどの嫌悪と感じる場合と、二つのケースがあるはずである。

そしてそのあいだに、無数の変化と差異がひそんでいる。

「そうだ、あんな記事があったはずだ」

気楽堂は以前読んだ、「性の告白」という記事を思い出す。

そこには、夫と妻、それぞれの性に対する満足感と不満な点が率直、かつ赤裸々に記されていた。

彼等というより、その誌面に登場する夫婦は、いずれも正規の夫婦関係を体験している。ということは、不能とは無縁の世界である。

だが、そこには悦びを感じない、いわゆる性に不満な妻がかなりの数、登場していたはずである。

「あれは、なぜなのか」

彼女等の不満を追えば、男が勃起して挿入できればいい、という単純なものでないことがわかるはずである。

しかし男たちは、自らのものを勃起させ挿入することだけを考えている。それさえできれば、性のほぼ八十パーセントから百パーセントは、満たされたと思いこんでいる。

もしかして、これは男たちの錯覚ではないか。そこには、男たちの独善がひそんでいるのではないか。

気楽堂は改めて自らにつぶやき、自らうなずく。

総じて、男はペニスにこだわり、挿入の結果ばかり考えているが、女性の感性はもっと多彩で複雑らしい。

いいかえると、女の躰は男が考えている以上に感覚的で、ロマンチックにできているようである。

実際、それは気楽堂が何人かの女性と関わり合って、実感したことでもある。

たとえば、接吻《くちづけ》をすることひとつにしても、いきなりぐいと奪うより、優しく頬を近づけ、ゆっくり唇を求めたほうが、彼女も素直に応じてくれる。

さらに、躰が結ばれるときも急がず、胸元から背など、全身の愛撫をくり返し、彼女が燃えてきたのを見届けてから求めたほうが、素直に受け入れてくれる。

いまになったらよくわかるが、若いときは焦るというか急ぎすぎて、失敗したことがよくあった。

あるときは強引に求めすぎて、彼女を怒らせ、そのまま、なにもできずに終わったこともある。

たとえいま、男がどうしても欲しいと思っても、彼女は違うかもしれない。

女性はそこまで燃え上がらず、彼女の躰は、まだ受け入れる態勢になっていないかもしれない。

そうした食い違いを常に考え、彼女の状態を中心に、セックスをすすめるべきである。

しかし、それを若いときに実行することはきわめて難しい。

その頃は、とにかく女性と躰が触れ合ったら、すぐ飛びついてしまう。

女性が、男を受け入れるまでには、かなりの時間が必要だということがわからない。

おかげで、女性は燃え上がらず、それどころか男に対して、乱暴で身勝手な人、という印象だけが強まって、別れることになったケースも少なくない。

初めは互いに好意をもち合い、ともに親しくなることを願っていたのに、こんな結末になるとは、なんとも残念で、もったいないことではないか。

改めて考えると、男と女のあいだで反省すべき点は無数にあるようである。

このところ、殿村夫人や千裕との関係が順調だったのも、考えてみると、気楽堂があまりあくせくせず、暢《の》んびりしていたからかもしれない。

二人となら、久しぶりに会っても慌てず、ゆっくり愛を交すことができた。

たとえば夜、ベッドで二人になっても、まず接吻を交して、上体を抱き寄せる。

そうして互いの肌の温《ぬく》もりを感じ、馴染んだところで、彼女の肩から背を愛撫する。

その間、慌てることはまったくなかった。

いずれ、自分のものを挿入できる。それは、時間の問題である。

こちらから求めたら、もちろん可能だし、場合によっては、向こうから求めてくることもある。

それに互いに応じ合う。

それで、自分はいうまでもなく、彼女のほうも納得し、満足してくれたはずである。

実際、男と女が逢瀬《おうせ》を重ねると、自然に余裕ができ、この種の状態になるはずである。

しかし、ここで注意しなければならないのは、そこからマンネリズムにおちいることである。

いずれセックスすることはできるから慌てることはない、大丈夫だと思ううちに安心感が強まり、緊張感を失っていく。

さらにはそれが高じて、性行為そのものを平凡なありきたりなことに思ってしまう。

ここまで安堵しきると、せっかくの行為が無駄な、つまらぬことに思えてくる。

馴染み合った二人のあいだに生じる倦怠《けんたい》感は、まさしくこの安易さから生じるものに違いない。

はっきりいって、殿村夫人や千裕とのあいだで、セックスが無駄な、つまらぬこと、などと思うことは一度もなかった。

それ自体、いつもそれなりの緊張感があり、好ましく、嬉《うれ》しいことだった。

それはなぜか。

正直いって、気楽堂はそこまで深く考えたことはなかった。

いま改めて考えると、二人とも正規の男女関係でなかったから、かもしれない。

いうまでもなく、殿村夫人は他の男性の妻である。

いわば、人目を避けて人妻と関わっている、いわゆる不倫の関係である。

そして千裕とは結婚していない。つまり、おおやけには認められていない。

いいかえると、二人とも異常な関係である。

だから、あきることなく、いまも続いているのか。

そう、それはたしかに大きな理由かもしれない。それ故、ほどよい緊張感が二人の好奇心をかきたてていたに違いない。

年齢《とし》をとっても、二人の女性を悦《よろこ》ばせ満たしてやっている。

そのプライドというか自負心が、自信になっていたことは間違いない。

「しかし……」

気楽堂の頭のなかに、当然のように、「不能」という言葉が甦ってくる。

そして、「おまえのあそこは、もう用をなさないのだよ」という声が甦ってくる。

しばらく気楽堂はそれに耳を傾けてから、「黙れ」と叫ぶ。

誰がなんといおうとも、俺は二人を放さない。

そして、できることなら、あの有賀弁護士も、口説いてみたい。

これまで、あんな知的な女性と接したことはない。しかも全体の雰囲気が優しく、亡くなった妻に似ている。

近づいてみようか。

親しくなるだけなら、股間のものが駄目でも問題はないだろう。
深夜の部屋で、気楽堂は一人で自分にいいきかせる。

第五章　さまざまな男女

　気楽堂が、新聞に載っている広告を見たのは、たまたま土曜日の朝であった。

　それはある女性誌の広告だが、その冒頭に、「他人にはいえない、私たちの性白書」と大きく記され、「三十代から六十代の女性、八百人へ緊急調査」と出ている。

　いったい、どんな内容なのか。広告を見ているうちに、気楽堂はたちまち興味を惹《ひ》きつけられた。

「読んでみようか」

　一人でつぶやき、早速、午前の診療が終わったところで、家政婦に駅前の書店から、その雑誌を買ってきてもらう。

　幸い、土曜日の午後は休診である。

　そのまま自室で、家政婦が淹《い》れてくれたコーヒーを飲みながら、誌面を開いてみる。

　まず、このような特集を組んだ理由として、「時代や経済状況によって、恋愛やセックスはどう変わったか」と記され、セックスの頻度をインターネットで調べた結果が載っている。

それによると、まず、夫や妻とのセックスの頻度が、「ほぼ毎日」というのが六十組の夫婦のうちわずか一組。次いで週に一回から二回というのが、三十代では十七パーセントと、もっとも高くなっている。

これに対して、月に一、二回程度から、半年に一回以下のカップルが半数を占めている。

さらに年齢別では、女性が四十代から五十代になるにつれてセックスの頻度は減り続け、六十代では八十パーセント以上の女性が、「半年に一回以下」と答えている。

また、職業の有無による差だが、仕事をしている女性で、夫と月一回程度の関係があるケースが三十四・二パーセントであるのに対して、専業主婦は二十五・一パーセントと、十パーセント近く低くなっている。

なお、日本性科学会では、一か月以上、性交がないケースを、「セックスレス」と定義しているという。

これを正規の夫婦間で見ると、セックスレス状態はさらに顕著で、「夫と最後に関係したのが、二か月以上前」という人妻が、三十代で五十二パーセント、四十代では六十六パーセント、五十代では八十一・三パーセントに達するとか。

これでは、日本の夫婦のうち、とくに中年以降の夫婦は、ほとんどがセックスレス状態と決めつけても、間違いないようである。

日本の、中・高年夫婦のほとんどがセックスレスの状態だと知って、気楽堂は改めて驚く。

そんなに、日本の夫婦はセックスに関心を抱いていないのか。

気楽堂は改めて、自分と妻との性生活を振り返ってみる。

三十代のときは、よく愛し合っていた。それは子供が欲しかったからでもあるが、妻が愛《いと》しかったからでもある。

それが子供ができて四十代に入ると、大分減ったが、それでも週二、三度は触れ合っていた。

そして五十代に入っても、肌と肌を触れ合うことで、安らぐことができた。

それに比べて、この「性白書」は、少し淡々としすぎているかもしれない。

「私たちの性白書」は、さらに続く。

まず、性行為に対する満足感だが、「毎回、オーガズムを感じる」という女性は、どの世代もせいぜい十パーセント程度しかいないようである。

一方、「オーガズムをほとんど感じたことがない」「まったく感じたことがない」「わからない」という女性が、全体の半数以上に達している。

もちろん、これらはすべて正規の性関係の結果だから、挿入されたうえでのことである。

ここまで読んできて、気楽堂は一つ大きくうなずく。

これでは、ペニスが勃起しようがしまいが、あまり関係ないではないか。

さらに驚いたのが、半数以上の女性が、性行為の途中で、「感じたふりをしたことがある」と、答えていることである。

これでは、勃起することがプラスになっているどころか、むしろマイナスになっている、といってもよさそうである。

ところで、これら性の悦《よろこ》びをほとんど感じていない女性の気持ちを癒すには、どうすればいいのか。

ここで女性側から、「男性にして欲しい好ましい行為」として記されているなかで、もっとも多いのが、「キスをされること」「優しく抱き締められること」「乳房を軽く揉んでくれること」などである。

さらにセックスが終わったあとも、「優しい言葉をかけられること」「キスをされること」「静かに髪を撫《な》でられること」「そのまま、抱き続けてくれること」などがあげられている。

ここまで読んできて、気楽堂は改めて、大きくうなずく。

セックスは往々にして、男女の両性器が結合することだけを考えがちだが、それはあまりに単純すぎる。

男女のセックスは、それよりはるかに多彩で幅広いものだが、男や夫のほとんどは、そこまで深く考えていないらしい。

そして、それがそのまま女性たちの、セックスへの不満と失望感に、つながっているようである。

本文には、さらに、セックスが心地よく感じられるようになったケースとともに、逆に悦びを感じることなく、嫌いになったケースまで記されている。

このなかでとくに気楽堂が惹《ひ》かれたのは、「EDになっても、女心は癒せる」という見出しである。

EDといえば、当然、「エレクタイル・ディスファンクション」で不能のことだが、それでも女性が満たされる、というところが嬉しいではないか。

早速、読みはじめると、「まず、女性のほうからセックスして欲しくなるとき」として、次のようなケースがあげられている。

「好きな人に、体を触られたとき」「心が安らいだとき」「お酒を飲んだとき」などなど。

「そうか……」

気楽堂は大きくうなずく。

たしかに、女性のほうから躰《からだ》を近づけ、求めるような眼差《まなざ》しをされたことがある。

「あのときが、そうだったのか」

気楽堂はそのまま求めて関係したこともあるし、求めずに、なにもしなかったこともある。

いずれにせよ、男は挿入することにこだわるが、女性は、結合以外のさまざまな行為を求めていて、それに敏感に反応するらしい。

気楽堂はなにか、これまで自分が女性におこなってきたことが、評価されたような気がして嬉しくなる。

「あれで、よかったのだ」

考えてみると、気楽堂が年齢《とし》のわりに比較的もててきたのは、彼女らと交してきたセックスにも関わりがあったのかもしれない。

とくに意図したわけではないが、これまで気楽堂はセックスを急いで求めたことはなかった。

常に相手の気持ちを考えて、というわけではないが、女性が充分に燃えてから入っていく。このあたりは、余裕というより、年齢のせいかもしれなかった。それはともかく、これまで、さまざまな女性と関係してきたが、女性のほうから去っていったケースはなかった。

むろん、個人的な事情で会えなくなるとか、住む場所が遠く離れてしまったなど、やむをえない事情で別れたケースはあるが、それ以外で別れたことはなかったような気がする。

それは、いま考えると少し生意気かもしれないが、性的関係が比較的うまくいっていたからかもしれない。

それよりこの数年は、年齢とともに局所の活力も失せて、自信がないときのほうが多かった。

「やっぱり、年齢《とし》なのだ……」

七十歳をこえたら、これも致し方ないと思っていた。

でも、現在の年齢を考えたら、女性と触れ合い、肌を接し合えるだけでも有り難いことである。

この状態をなんとか続けたい。

そこで考え出したのが、あまりペニスの逞しさを必要としない方法である。

具体的にいうと、セックスそのものより、前戯に力をそそぐ。

当然のことながら、女性を優しく抱き締め、接吻《くちづけ》を交し、できるだけ愛撫をくり返す。

そういう態度でのぞめば、ペニスの挿入そのものは、それからあと、わずかな時間でも、女性は満たされるのではないか。

はっきりいってこの方法は、「気楽堂方式」とでもいうべきものかもしれない。

これまで、こうしたやり方でなんとか女性たちと交わり、悦《よろこ》ばしてやることができて、それなりに納得し、満足してもいた。

だが、考えてみると、これは高齢になり、自らのものが逞しさを失った結果、考え出したものでもある。

あそこが弱くなったおかげで思いつき、そのやり方でここ数年はカバーしてきたはずである。

だとすると、これからまったく不能になったとしても、女性を悦ばすことはできるかもしれない。

「いや、それは無理だ。いまの状態は、単に弱くなったのとは違う。完全に駄目になってしまったのだ」

これまではさまざまな愛撫のあと、最後はとにかく女性のなかに挿入して、ともに満たされてきた。

だが、これからは、この最後の挿入自体が不可能になるのである。

それでセックスをした、などといえるのか。そして女性は納得してくれるのか。

「いや、おまえの考えていることは、セックスではない」

落ちこんでいる気楽堂に追い打ちをかけるように、さらなる声が重なってくる。

「女性のなかに挿入しないで、セックスをした、などとはいえないよ」

再び囁《ささや》く声をきいて、気楽堂は静かに目を閉じる。

こうして、すべての男たちは、これくらいの年齢から、女性と関わることをあきらめていくのかもしれない。

気持ちがいかに高ぶり、頑張ろうと思っても、肝腎のものを見る度に、あきらめざるをえなくなる。

「もう、駄目なのだ」

これまで、数人の女性と関わり、それなりに悦びを味わってきたのだから、不満をいうことはなにもない。

それより、ここまで続けてこられたことに満足し、納得しよう。

そして、もうこれ以上、女性を追いかけたり、女性にしがみつくことはやめにしよう。

「そのほうが、余程すっきりして快適ではないか」

どういうわけか、今日の気楽堂はいままでとは別人のように弱気である。

それにしても、男のインポテンツに相当するようなデメリットを、女性が受けることはないのだろうか。

そう考えて思い出されるのは、女性の更年期障害である。

これは具体的に、いつ、どういう症状が現れるのだろうか。

そこで気楽堂は改めて医学大事典を開いてみる。

それによると、まず「更年期」として、次のような定義が記されている。

「更年期は女性の一生のなかで閉経前後の数年間をさし、成熟期（生殖期）から老年期（生殖不能期）への移行期をいう。

更年期は個人により一定していないが、その時期に発生する不定愁訴の初発、および頻度の消長から、四十歳から五十六歳、とくに四十二歳から五十五歳頃と考えられる。

この更年期にさしかかると、女性の性機能の中心である卵巣機能が衰えはじめ、内分泌《ないぶんぴつ》環境は徐々に、あるいは急激に変動し、月経不順から、ついには閉経にいたる。

また、性器は萎縮《いしゅく》、退化し、全身の老化現象が現れてくる。このような内分泌環境に対応し、適応しようとすることによって歪《ひず》みが生じ、身体症状や精神症状が発現してくる。

さらに環境による社会、文化的因子や個々の心理的因子が相まって、この時期には種々の不定愁訴がみられるようになり、これらの症状がひどく、治療の対象になるものを、更年期障害という」

改めて読んでみると、更年期障害も大変なようである。

男性の多くは、それらを直接、女性たちからきくことはなく、その種の変化が、五十歳前後の女性に訪れることを漠然とわかっていたが、さほど重要なことと考えることはほとんどなかった。

ただときに、中・高年女性が、苛立ったり、ヒステリックな態度をとるときなどに、そろそろ更年期なのかな、などと思うことはあった。

それにしても、ここまで学んだだけで、女性も年齢を重ねるにつれて、それなりに深刻な変化が躰に現れていることは、たしかなようである。

続いて、「更年期障害」そのものについて、次のように記されている。

「これらは、とくに卵巣機能の低下が主な原因と考えられ、その結果、視床下部（内分泌、および自律神経中枢）を中心に下垂体、および末梢《まつしょう》的臓器、自律神経系調節機能、さらに大脳辺縁系からの影響とのあいだの均衡に破《は》綻《たん》を生じて起こると考えられる。

しかし更年期は身体的のみならず、心理的、社会的にも不安定な時期でもあるので、心因的要素もくわわってくる。

症状の種類、程度、期間など、個人差が強いが、急性症状として顔面紅潮、発汗、不眠、イライラなどが、慢性症状として性交痛、泌尿器系障害、腰痛、肩こりなどがある。

薬物療法として性ホルモン、自律神経調整薬、精神安定薬などが用いられ、心理療法も併用されることがある」

ここまで読んでくると、更年期障害が改めて多彩で幅広く、かつ複雑なことがわかってくる。

はっきりいって、気楽堂自身、医師であるのに、ここまで深く学び、考えてはいなかった。

もちろん、婦人科専門ではないので、それは仕方がないともいえるが、改めて、更年期障害の複雑さに戸惑うばかりである。

これに比べたら、男性の不能はなんと単純で明快なことか。

自分のペニスが勃《た》たなくなったことなど、他の男にきくまでもなく、すぐにわかる。

さらに、それによって、なんらかの症状、たとえば更年期障害の女性が悩むような、さまざまな不定愁訴にとらわれるわけでもない。

男の不能は勃たないという事実だけ。

それだけに、気にしなければ、なんの問題もない。

実際、だからこそ、当人は病院に行くわけでもなく、誰かに訴えるわけでもなく、ただ黙りこんでいるだけ。

だが、はっきりいって、こんな不都合、大不都合はない。

もし、まわりに人がいなければ、大声で叫びたい。

「おうい、大変だよ。俺、インポになっちゃったよ、助けてくれぇ」

まさしく女性から見たら、男は不思議な生きものに違いない。

ペニスが勃たなくなったくらいで、どうしてそんなに嘆き、落ちこむのか。

このあたりの心境は、女性には到底、わからないだろう。それどころか、なぜそんなことに悩むのかと、不思議に思われるだけかもしれない。

しかし、それでも男はなお、ペニスが勃起するか否かにこだわる。

この理由は、気楽堂もうまく説明する自信はないが、あえていうと、ペニスは男のプライドそのものだからである。

もちろん、男は自らの容姿から学歴、社会的地位など、さまざまなものにプライドをもち、それを気にしている。

だがなかでも、ペニスはもっとも生理的かつ根源的なプライドの原点である。

そして、これが勃つことで男を実感し、男であることを誇りに思い、男であることに納得してきたともいえる。

その原点が、突然、勃たなくなったのである。

この事実は、女性の更年期障害の不定愁訴とはまったく異なる。

不定愁訴は、さまざまな症状が徐々に出てきて悩まされるようだが、こちらは、すべてのマイナスが一気に出てきてプライドがゼロになる。

「それなら……」と気楽堂は考えこむ。

「ペニスへの考えを根底から改めるべきである。あんなものは、男を表すものの一つにすぎない。若いときならいざ知らず、年齢《とし》をとったら、もはや不要。これから子供など、つくる気はないのだから、ただ、面倒で邪魔なだけである」

そこまで一気につぶやいて、気楽堂は一人でうなずく。

「あんなもの、ないほうが余程、気が楽で、すっきりする」

気楽堂は改めて、自分で自分にいいきかせる。

不能でも女性を悦《よろこ》ばせ、満足させることはできないものか。

気楽堂は坐り直して考えてみる。

「待てよ……」

そんな方法が、即座に見出《みいだ》せるとは思えないが、ここであきらめるのでは、同年輩の男たちと同じになってしまう。

自分は人間の躰を学んできた医師である。

これから改めて医師という視点から、女性の躰を探求したら、なにか新しい方法を見出すことができるのではないか。

当然、同年輩の医師たちも、みな加齢とともに不能になったはずだが、まだそこまで考え、研究した医師はいないようである。

いや、数ある医師のなかには、考えようとした人もいたのかもしれないが、その種の資料は皆無である。

ということは、誰一人、見出すことができなかった、ということか。

「いや……」

気楽堂は、あきらめかける自分に自ら鞭《むち》を打つ。

「あきらめては駄目だ」

萎《な》えそうになる自分を奮い立たせて、一つのことに思い当たる。

「まず、女の躰を知ることだ」

もちろん解剖学のときには、男女にかぎらず、全身の骨格から筋肉、さらにはそれらを網羅する動脈から静脈などのほとんどを、学んで記憶した。

解剖学は嫌いではなかったし、それらの大凡《おおよそ》は、いまもほぼ覚えている。

だが、ここで必要なのは、女体だけに備わっている特殊な構造である。

これから女の性器、女性器を根本から調べ直してみよう。

当然のことながら、女の性器は男性のそれとはまったく異なっている。

むろん、それらのことも充分、承知しているつもりでいたが、それだけでは甘すぎる。

より深く、一つ一つの器官に入りこみ、学ぶべきである。

そこまで調べたら、女の性器について新しい事実を見出し、それを性行為そのものにも有効に利用することができるかもしれない。

気楽堂の学ぶ意欲は、さらに広がっていく。

第六章　神秘の森を学ぶ

午前の診察を終えたばかりだが、気楽堂は自室で昼食を終えると、早速、書斎に行き、解剖書を取り出してみる。

そこの女性器の部分を開いて、いわゆる会陰《えいん》部、外部生殖器と肛門《こうもん》とのあいだをたしかめてみる。

この図を見て誰でも気がつくことは、女性器と男性器の位置の違いである。

当然のことながら、男性ならこの中心部に陰茎が大きく描かれている。

だが女性器にはそれがなく、かわりに中心部は左右から大陰唇と小陰唇が迫り、その中央下に陰核が描かれている。

正直いうと、この図は気楽堂が中学、高校生の頃から、怪しげな雑誌で何度も見てきたものである。

あの頃は性的好奇心が強く、これらの図を見るだけで興奮していたが、いま、解剖書に描かれている図は淡々として、むしろ素気《そつけ》なくさえ見える。

さらに図の横には、いくつかの説明が記されている。

「女性器は男性器のように、なかを尿道が貫いていない」

「陰核の一部は、会陰部の外面から内面に広がっている」

それらは改めていわれるまでもなく、気楽堂は充分承知していることである。

それより問題なのは、女性器のなかでもっとも快感を覚えるはずの陰核である。

ここを、もう少し詳しく知りたい。

そこで気楽堂は、書庫の奥におさめてある、もう一段大きい解剖図鑑を探して、持ち出してくる。

両手で抱えるほどの大きさだが、それを机の上におき、やはり女性の性器の部分を開いてみる。

なにも知らぬ人が見たら、昼間から、この男はなにをしているのかと、怪しまれるかもしれないが、いまは間違いなく勉強のためである。

やはり問題の個所、女性の会陰部を開くと、正面に大陰唇と小陰唇があり、その亀裂《きれつ》の下部に、素気なく「陰核」とだけ記されている。

「これだけでは、わからない」

気楽堂はゆっくりと首を横に振る。

たしかに、ここには女性器の会陰部が大きく描かれてはいるが、左右の大陰唇と小陰唇、そして中央に、陰核包皮と陰核亀頭《きとう》が示されているだけである。

正直いって、これだけでは一点指示で、陰核の全貌《ぜんぼう》を把握することは難しい。

「だめだ……」

気楽堂はつぶやくが、ではどうしたらいいのか。

ここで問題になるのは、陰核が女性器の外側からわかるのはごく一部で、そのほとんどが陰唇の内側、いわゆる膣《ちつ》の内面に広がっていることである。

これでは、第三者には到底わからず、その全貌を把握するのは不可能である。

いうまでもなく、男性器は男性の股間にはっきり存在し、そのすべてを見て、とらえることもできる。

まさしく、逃げも隠れもしない存在そのものである。

だがそれに反して、女性器の全貌は不明のまま闇に閉ざされている、といってもいいすぎではないだろう。

これだけ秘められているのだから、男性たちが、女性の快感のポイントを知らなかったとしても無理はない。

なにもわからず、ただ無闇《むやみ》にペニスを挿入している、といわれても仕方がないかもしれない。

しかし、わかりにくいからといって、放置しておける問題ではない。

解剖図鑑を見ながら気楽堂は一人でうなずく。

いうまでもなく、陰核は女性器のなかでもっとも性感が発達していて、男性の陰茎に相当するところである。

だがこの両者は大きさがいちじるしく異なり、男性のペニスに対して、女性の陰核はきわめて小さく、漠然と見ているると見逃すほどである。

さらにこの両者とも、興奮することにより肥大するが、その程度も男性のそれに比して、女性の場合はきわめてかぎられているようである。

このあたりのことは解剖書には記載されておらず、生理学書などから推測するよりないが。とくに陰核は肥大したとしても、膣の内側に向かうので、外見から確認することは難しそうである。

ここまで調べてきて、気楽堂が改めて思うことは、男性器に比べて女性器はいちじるしく秘められ、不明確なまま放置されていることである。

実際、陰茎なら男の子たちは小児のときから、自らの手でつまみ出し、放尿したり、ときには友達に見せびらかしていることもある。

さらに思春期にいたると、自らの陰茎を手に持って刺激し、射精することも多く、ペニス自体がきわめてオープンに認められ、理解されている。

しかし女性の陰核が、そのように他人に見せられたり、誇示されることはありえない。それどころか、当の女性自身、それを見たり、たしかめることもほとんどないようである。

こうした背景には、女の子に、秘所は極力隠して触れぬようにしなさいという、親のしつけや教育があるともいえそうである。

それだけに、陰核などの変化は、当の女性自身もほとんど知らないというか、感知していないのが実情のようである。

しかし女性の性器も、性的興奮などでかなり変化することはたしかである。

実際、それは性的体験を重ねた女性が実感していることでもあり、性的興奮により、陰核自体が内面に肥厚し、さらに拡張するようである。

幸か不幸か、その事実を男性の陰茎が大きくなるように、ストレートに確認することはできないが、きわめて重要な変化であることはたしかである。

とにかく、女性器の陰核ほどわかりにくい器官はない。

正直いって、医師である気楽堂自身も完全に理解していなかった。

ただ一点だけ、膣上部の陰核上皮、このあたりに強い快感が秘められていることを、感じている女性は多いようである。

実際、だからこそ、女性が自慰をするときは、このあたりに指を触れて摩擦しているようである。

だが、この陰核は膣の内面から上部にも深く広がっている。

そのため、さらなる快感を得るためには膣の内面から上部まで、指の感触を広める必要がありそうである。

事実、ここに快感のポイントがあるからこそ、性行為のとき、ペニスが挿入されて快感を得ることができるのである。

しかし、さまざまな性行為において、肝腎のペニスがすべてこの快感のポイントに的確に達しているか否かは、また別の問題である。

そこまで満たされるには、それなりの余裕と自信がなければ、できるものではない。

気楽堂が一人でつぶやいていると、外来から、「患者さんです」という連絡がくる。

そこで外来に戻ってみると、有賀弁護士が待っていて頭を下げる。

「いやあ……」

思わず、気楽堂の気持ちが浮き立ってくる。

「その後、いかがですか」

「おかげさまで、痛みは少し和らぎました」

前回、診たとき、三日後に来るように指示したが、そのとおり、きちんと来てくれたことが嬉しい。

「じゃあ、横になってみて下さい」

有賀弁護士は、いわれたとおり白いスリップのまま横になる。

気楽堂はつい少し前まで、解剖図鑑で女性器を見ていたことを思い出す。

このスリップの下には、あの図と同じ秘部が秘められているのだろうか。

一瞬、気楽堂はそんな思いにとらわれ、慌てて首を横に振る。

「いけない。なにを考えているのだ」

医師が患者に淫らな思いを抱くことなど、ありえない。

実際、気楽堂自身、そんな気持ちにとらわれたことはないが、しかし、この弁護士だけは違う。なにか、痛い腰も含めて、そっと抱き締めてやりたい。

そんな思いにとらわれて見詰めていたせいか、看護師に「先生」といわれる。

「うん、わかった」

気楽堂は慌てて答えると、スリップの端を上げ、腰の痛む個所に軽く指を当ててみる。

「ここですね」

「そう、そうなんです」

苦しそうに答える弁護士の白い肌を見ながら、できたら抱き締めてやりたいと再び思うが、看護師は早くも注射器を手にして、渡そうとする。

「少し痛いですよ」

「はい、大丈夫です」

そこで一気に注射針を刺して液を注ぎこむと、弁護士は「痛い」ともいわず横たわっている。

「大丈夫かな」

「ええ、先生に注射をしていただくと、とても楽になって……」

「それは、よかった」

「わたし、毎日、来てもかまいませんけど」

そういわれると、本当に毎日、下着を脱がせて注射をしてやりたくなるが、そこまでやると、やりすぎかもしれない。

「また、三日後でいいですから、待っています」

最後は、ベッドに横たわっている彼女の顔をしっかり見たままいってやる。


有賀弁護士が帰ったあと、気楽堂は再び自室に戻り、解剖図鑑を開いてみる。

先程は一瞬、怪しい感情にとらわれたが、ここからはもう一度、女性一般について考えてみる必要がある。

まず性行為における女性の快感だが、これはどれくらい強くていちじるしいものなのか。

気楽堂はそこで空咳《からせき》をしてから考える。

よく女性が激しい性行為の結果、ゆき果てる、ということがある。

この場合、男性の果てる瞬間と比べて、どれくらい違うのだろうか。

もちろん、男性が果てるときは全身が震え高ぶり、それと同時に、すべての精力が根こそぎ引き抜かれるような脱力感とともに、ゆき果てる。

この感覚は、正直いって、体験した者にしかわからない。とにかく狂おしいほどの快感としか、いいようがない。

しかし女性の快感は、これに勝るとも劣らぬものらしい。

もちろん、それはこれまで女性と接してきた経験から察するよりないが、その快感は男のそれよりはるかに深く、かつ長く続くようである。

男の果てる喜びは一瞬であるのに対して、女性のそれは果てたあとも消えず、延々と続くとか。

実際、だからこそ、果てたあと、男は比較的早く床から出たり、バスルームに行くなど、次の行動に移れるが、女性はそのまま延々とベッドに突っ伏したまま動く気配はない。

セックスが終わったあとの男と女、両者の行動を見ていると、どちらの快感がより深いか、自《おの》ずとわかってくる。

もっとも、これは両者がともに昇りつめた場合であるが。

ほとんどの男は射精とともにゆき果てるが、女性はそこまでゆかないことも多いようである。

たとえば、わずかに快感を覚えはじめたところで男が果てると、そこであきらめなければならず、満たされぬまま終わることになる。

あるいは極端な場合、快感など感知せぬまま終わることも少なくないようである。

このように女性の悦《よろこ》びは、相手の男性の状態によって大きく左右されることは間違いない。そして女性のセックスは、このまま死んでもいいと思うほどの快感から、二度と思い出したくないほどの嫌悪まで、かぎりない感受性の広がりをもっているようである。

それにしても、女性の陰核は不思議な器官ではある。

外見は親指ほどもない、会陰部の下端にわずかなふくらみのように、とりついているだけである。

だが、このふくらみが、大人の女性を身も世もなく狂喜乱舞させ、悦びの頂点に押し上げる力をもっているとは。

このことに、男性はもちろん、多くの女性自身も気がついていなかったようである。

ところで、イスラム教やユダヤ教には、「割礼《かつれい》」という男女両性器の一部を切除、または切開する宗教的風俗がある。

具体的にいうと男子は生後七日と十四日にたしかめられ、そして二十一日目には、神との契約のしるしとして陰茎包皮の切除がおこなわれた。

一方、女性の割礼はおもに陰核の一部切除で、アフリカの先住民やマレー人、アラブ人などのあいだで見られた。

しかし近年、女性の割礼は不要なこととして、廃止する運動が広がってきたようである。

それにしても、なぜ女性の陰核を一部切除するようなことがおこなわれたのか。

これには明確な説明はないが、かつて気楽堂はある外国人からきいたことがある。

それによると、女性の陰核は快感が異様に強く、それをそのまま放置しておくと、そこをコントロールする者に支配され、女性の自立が保ちえない。

それを危惧《きぐ》して割礼が義務づけられたというのだが、はたして本当だろうか。

ところで、女性の割礼、いわゆる除核はいかにしておこなわれたのであろうか。

気楽堂は改めて解剖図鑑を見ながら、考えてみる。

男の場合なら、ペニスの先端をおおっている包皮を切り開けばいいのだから、簡単というか明快である。

だが女性の場合は、除核といっても、陰核をおおっているものはなにもない。それだけに、核そのものを切り取ったとしか思えない。

これは想像するだけで痛そうだが、そのどれくらいの部分を切除したのだろうか。

だいたい、陰核自体がはっきり、ここからここまでと定まったものではなく、興奮の程度によって、大きさも変わるようである。

このように、とらえ難《がた》いものを、どのようにして摘出したのか。

気楽堂の察するところ、やや表面に突き出している部分を中心に切り取ったと思われるが、局所麻酔剤などがなかった時代、かなり痛かったに違いない。

それだけに幼少のとき、一気にメスを入れて取り除いたのか。

もっとも、だからといって、陰核すべてが除かれたとは思えない。会陰部に漠然と広まっているものだけに、どこからどこまで取ればいいと、わかるわけでもない。

結局、除核といっても、中心部に傷をつけることで痛みを感じさせ、本来、感ずべき性の悦《よろこ》びを感じさせないようにしたのではないか。

「しかし……」と気楽堂は考える。

男のペニスの割礼に対して、女性の除核はいかにも陰惨である。

男の場合は、割礼することにより、ペニスが順調に成育し、勃起しやすくなるが、女子の除核は、せっかくの鋭い性感帯を切り刻み、傷つけるのである。

こんなことをされては、女性は性の悦びを感じることも不可能になる。

しかし、いま女性に除核のごとき、理不尽なことを強要する者はいない。

あの狂おしい快感をかきたてる陰核が、女性には秘められている。

「もし女性に、圧倒的な性の悦びを与えたいのなら、その陰核を刺戟し、満たすことを考えたらいいのではないか」

気楽堂のなかに、次第に女性を悦ばすための、愛の方法が浮かび上がってくる。

たしかに、あの陰核がある会陰部は膣の入口部分で、そこからペニスが挿入されていく。

当然、ペニスが入るとき、陰核が刺戟されて快感を覚えるようになっているのだろう。

しかし、もしペニスがなかったら。

ペニス以外のものでそこを刺戟したら、当然、快感を覚えるに違いない。

実際、一部の女性はそこを自らの指で刺戟して快感を覚え、オナニーすることもあるらしい。

とすると、男性がそこを愛撫し、それによって満足させることもできるのではないか。

それもペニスでなく、指の先か唇で。

気楽堂の思いは一気に駆けめぐる。

たしかに陰核、すなわちクリトリスを愛撫することは、もっとも大事なことかもしれないが、他にも快感を覚えるところはいろいろあるに違いない。

それらはどこで、どうなのか。

考えるうちに、気楽堂の脳裏に、さまざまな男女の交歓図が浮かんでくる。

俗に「四十八手裏表」などともいわれているが、あれを見てみたらどうだろう。

かつて江戸時代から、その種の図絵を、お嫁に行く娘に持たせたという話もあるが、本当なのか。

いや、一説には、夫である男が、もし思いがけない体位を求めてきたとき、妻が拒否せず、素直に受け入れるようにさせるため、娘に見せたともいわれているが、はたしてどうなのか。

それはともかく、男女の交合体位がそれほど重要なものとは思えない。

いや、もちろん男にとっては興味ある、好色感をかきたてるものであったかもしれないが、女性にとっては悦びをもたらすどころか、むしろ嫌悪感をかきたてることもあったかもしれない。

ここで気楽堂は書庫の奥から、「四十八手裏表図」を取り出してくる。

大分古くて、一部変色しているが、男女の形は明確である。

図は初めから、男女が交わった露骨な絵が続くが、そのほとんどが、こんな交合体位も可能なのかと、不安を抱かせるような絵ばかりで、いかにも興味本位に描かれたことがよくわかる。

それにしても、こんな体位を求められて、女性は素直に応じるのだろうか。

以前はいざ知らず、現代ではほとんどの女性に、「とんでもないわ」「遊ぶのはやめて」と拒否されそうである。

いや、たとえ受け入れてくれたとしても、この体位で女性が悦びを感じるとは思えない。

気楽堂はとくに女性の陰核部が男性のそれとうまく適合している図を探すが、容易に見付からない。

してみると、これらは所詮《しょせん》、男たちの好奇心を満たすための体位であり、遊び絵としか思えないが、どうなのか。

納得しかねる絵はさらに続く。

たとえば、「かつぎ上げ」と称して、女が下になって両肢を深く折り、その股間に男が上から重なり合うように挿入している。

この姿勢は、女性が仰向けのまま二つに折りたたまれた形で、それを見るかぎりでは淫らで、刺戟的ではある。

しかし、男性のものはただ上から挿入されているだけで、肝腎の女性の快感の中心である陰核に触れることは、ほとんど不可能である。

これでは当然のことながら、女性は悦《よろこ》びを感じるというより、羞恥心をかきたてられるだけである。

さらに、「うしろ茶臼《ちゃうす》」と名付けられた体位は、男性の両肢の上に、女性をうしろ向きに坐らせ、ペニスを後方から挿入している。

この体位は、男性が前に坐っている女性の両の胸から乳房を自由に触れたり、摑むことは可能だが、男性のペニスと女性の陰核が触れることは、ほとんどありえない。

さらに「鶴《つる》の羽交い締め」は、名前は大袈裟《おおげさ》だが、やや前屈《まえかが》みになった女性に、男性がうしろから両手を前に廻し、ペニスを挿入している。しかしこの体位も女性器の陰核に触れることは、ほとんど皆無と思われる。

このように、さまざまな体位を考案し、見かけだけは妖《あや》しく淫靡《いんび》ではあるが、それらはすべて、男性の見る目を楽しませるだけで、女性の悦びそのものを満たしているとは、到底、思えない。

それにしても昔の女性は、こんな体位を、男性が求めるままに応じ、受け入れたのだろうか。いや、受け入れざるをえなかったとしたら、女性はなんと哀れで、屈辱的であったことか。

気楽堂は、そんな体位を強要された女性の、切なく、哀《かな》しげな表情を想像することのほうがはるかに興奮してしまう。

それはともかく、これらいわゆる「四十八手裏表」といわれる性交図を見て、改めてわかったことは、女性の快感についてはまったくといっていいほど、配慮されていないことである。

そしてここにも男尊女卑というか、あくまで男性中心で、女性は男を満足させるための道具としてしか考えられていなかったことが、改めて知らされる。

「これでは、駄目だ」

気楽堂は改めて、きっぱりとつぶやく。

性の交歓図などといっても、所詮は男性が喜び、楽しむためのものである。

そのとき、女性がどれほど屈辱を感じ、羞恥心に苛《さいな》まれるか、それらのことへの配慮はまったくない。

こんな状態で、男も女もともに快くなることなどありえない。

しかし、昔というか江戸時代の頃は、これが当然と考えられていたのかもしれない。

男は女を楽しむもの、そして女は男に楽しまれるもの。

ここには、男から女への一方通行しかありえない。

「そして、もしかすると……」

気楽堂は改めて考えこむ。

「この傾向は、いまも続いているのかもしれない」

実際、いまも、女は男を悦《よろこ》ばすもの、と思いこんでいる男がいる。

そう言葉には表さなくても、心のどこかで、それが当然と思いこんでいる。

「古い、あまりに古い」

多分、欧米にはそんな考えの男性はいないのではないか。

彼等はみな、男と女は平等だと信じ、理解し合っている。

そして当然、恋愛も対等である。そしてさらに、愛の行為も対等である。

まず、男は女に、沢山《たくさん》の言葉で愛を訴え、それに女が反応し、愛を受け入れるとわかったところで、接吻《くちづけ》を求めてくる。

愛には、沢山の言葉と情熱が必要なことがわかっている。

これに対して、日本の男たちは愛への情熱が足りなさすぎないか。安易な言葉だけで、なんとか誤魔化そうとしていないだろうか。

「これでは駄目だ、俺はヨーロッパの男になる」

気楽堂は自らにつぶやき、一人で苦笑する。

彼女たちに、いっぱいの愛を囁き、優しく接近する。

あの有賀弁護士にも。

いくら知的だといっても、彼女にも男に愛されたい、という気持ちはあるはずだ。

その思いをかきたて、燃え立たせる。

そうすれば、彼女もやがて許してくれるかもしれない。

そうなったら、セックスはしなくても、それに勝る充分の快感で満たしてやる。

ゆっくりだがたしかに、気楽堂のなかに新たな自信がわいてくる。


「そういえば……」と、気楽堂は少し前のことを思い出す。

気楽堂が初めて自分の不能を知ったとき、「どうして……」と、自分で自分がわからなくなった。

最初のケースは殿村夫人で、まだ本番というか、正規のセックスはしていなかった。

当然、夫人は求められるのを待っていたはずだが、それには応えられない。

途方に暮れながら、そこで思いついたのが、彼女の秘所をゆっくりと愛撫することであった。

当然、気楽堂は右手を夫人の股間から陰核に添えたまま、ゆっくりと左右に愛撫した。

途中でできなくなった、そのお詫《わ》びのつもりだったが、彼女はそれでも素直に感じてくれた。

いや、そうではなく、最後はゆき果てたように、小さな声をあげて気楽堂にしがみついてきた。

いま思い返すと、千裕との場合も同じであった。

殿村夫人と愛し合うはずだったが不能になったので、そのあと、若い千裕とならば可能かと思ってベッドをともにしたが、やはり勃《た》ち上がらない。

このときは、いよいよ駄目だとあきらめたが、といって、そのまま千裕を放っておくわけにもいかない。

そこで改めて彼女を抱き寄せ、秘所だけを愛撫した。

はっきりいって、あのときの気持ちは、もはや完全に不能におちいったのだと、絶望的だった。

そんな思いのまま、千裕の秘所を愛撫しただけなのに、千裕はゆっくりと燃え上がりゆき果てた。

こちらの感情などまったく無視して、女性だけが昇りつめた。

気楽堂はそのことに驚き、改めて気がついた。

「やっぱり……」

あそこは、女性の快楽の中心点なのだ。

その最大の秘所である陰核、そこを利用しないという手はない。

あの秘所にできうるかぎり優しく、そっと触れてやる。初めは秘めやかに、しかし徐々に力をくわえて愛撫する。

そして、女性がたまらず悶《もだ》えはじめたら、さらに膣の内面へ指をすすめて浅く深く摩擦しながら、丹念に愛撫をくり返す。

こんな細やかな刺戟はペニスなどでは、到底できるわけがない。

一方的に硬くなり、勃起したペニスでは、途中で射精し、砕けてしまうだけである。

それより、ここでもっともたしかで間違いないのは指による愛撫である。

「この指しかない……」

気楽堂は思わず自らの右手を見詰め、その人差し指と中指の先に軽く唇を触れてみる。

瞬間、電話のベルが鳴る。

こんな時間に誰からなのか。

気楽堂は、自分が考えていたことが見透かされていたような気がして、あたりを見廻してから電話に出る。

「パパ?」

その一言で娘の敦子からだとわかる。

「なんだ、どうした……」

「変わりない? 楽しいことしてる?」

「楽しいことって……」

意味がわからず、きき返すと、敦子が答える。

「誰かと、デートとか」

「デート？」

突然、なんということをいいだすのか、と呆れていると、敦子が囁くようにいう。

「いいのよ、わたしはぜんぜん平気。ママも許してくれると思うわ」

「………」

「パパ、一生懸命、お仕事しているのだから、好きなこと、してもいいのよ」

「好きなこと？」

「パパなら、きっともてると思うから頑張ってね」

まさか、殿村夫人や千裕のことを知っているとは思わないが、なにか、そこまでいわれると、くすぐったい。

「ところで、おまえはどうなのだ」

「わたしは大丈夫だから。パパが元気ならいいの」

「うん、大丈夫だよ」

「今度、またステーキ、おごってね」

「わかった」

「じゃあ、またね」

電話はそれで切れたが、気楽荘はなにか、優しい援軍をえたような気分になる。

第七章　性のかたち

再び一人になって、気楽堂は改めて自分の現状を考えてみる。

とやかくいっても、いまはっきりしていることは、なまじペニスによる愛撫などより、指による愛撫のほうがたしかで間違いない、ということである。

正直いって、ペニス自体を指先のようにあやつることなど、できるわけがない。

ペニスは、なにかを快《よ》くするというより、それ自体がなにかによって、快くされるものである。

少し妙な理屈だが、能動と受動を間違っていたようである。

ペニスはあくまで受動的なもので、意識して能動的な役割を受けもち、果たせるものではない。

もちろん、逞しいペニスの動きで素晴らしい快感を覚えた、という女性はいるだろう。

「あれは、なんと素敵なペニスだったろう」と思い出す女性もいるかもしれない。

しかしその場合も、ペニスが意図して女性を快くするために動いたわけではない。

いや、ペニス自体、たしかに女性を快くするべく努めることはある。

しかし、それは女性のなかに入って、ペニス自体が心地よかったからである。女性器につつまれ、刺激されて逞しくなり、よく動き廻っただけである。

そこに、とくに計画的で、意図的なものがあったわけではない。

それは、あくまで結果論、とでもいうべきものである。

しかし、指の愛撫は違う。ペニスのように、思いがけなく良い刺戟になるのではなく、初めから、そうするべく意図して、おこなうものである。

いずれがたしかで、的確であるかは明白である。

いうまでもなく、指のたしかさに勝るものはない。

くわえて、指による愛撫ならペニスを相手の女性のなかに挿入する必要もない。

すでに何度も性行為を重ねて互いによく知り合い、信頼し合える仲ならともかく、そこまで親しくない二人のあいだでは、挿入すること自体、容易ではない。

また、たとえ挿入できたとしても、女性がその状態に馴染めず、痛みを感じたり、不快感を覚えることも少なくない。

そのような状態で、女性が悦《よろこ》びを感じるなど、まずありえないだろう。

とにかく、これまで性に関しては、男性中心に考えられすぎてきたようである。

奇抜な体位や性行為のみをとりあげ、それがあたかも性の究極のように思いこみ、自慢する者もいた。

だが、それは、単なる性の遊びにすぎない。

なによりも、性は男女ともに参加し、楽しみ、満足してこそ性愛となりうるのだ。

ここで、気楽堂は男女の性交図などからはきっぱりと離れ、新しい愛の形へ視点を移す。もっと自然な、男女ともに楽しめる愛の交歓図はないものか。

考えているうちに、気楽堂の頭に浮かんできたのは、ある高齢者の施設で男女の入居者からきいた話である。

そこに気楽堂はたまたま、老人ホームの実態を調べにいったのだが、高級な施設から一般的なものまで、さまざまなものがあるようである。

とくに高級な施設のなかには、入居するのに数千万から一億円をこすものもあったが、それなりに内部はよく整えられていて、気楽堂自身、入ってみたいと思うものもあった。

そのなかの一つは、夜中、ふらりと部屋を出て、徘徊《はいかい》する癖がある高齢者のために、廻り廊下になっていて、一旦出ても、また同じところへ戻ってくるようにつくられていた。

しかも、廊下の壁には、さまざまな戸外の絵が描かれていて、それを見ているだけで、ずいぶん色々なところへ行ってきたような気分になる。

「なるほど、これなら退屈しないし、なによりも安全である」

気楽堂は感心したが、そこで、ひっそりと寄り添っている、男女の二人組に惹《ひ》きつけられた。その二人は、一見、夫婦のように思えたので、「ご夫婦ですか？」ときくと、互いに顔を見合わせて、かすかに微笑む。

どうやら、ここで恋愛中のカップルのようである。

男は八十歳を少しこえたくらいか、女性もほぼそれと近い年齢のようである。

「そうか……」

気楽堂はそこで初めて、そこの施設長がいっていた言葉を思い出した。

「男と女は、いくつになっても惹かれ合うようです」

まさしく、いま目の前にいる老いたカップルは愛し合っている二人であった。

同じサンルームで、互いに暢《の》んびり陽《ひ》を浴びているように見えても、好意を抱き合っている男女は、なに気なく目を交し合っているという。

この場合、総じて積極的なのは女性のほうで、好きな男性の横に自分のほうから近づいていく。

いや、それだけでなく、二、三度、会話を交すうちに、女性は自ら相手の男性の部屋に入りこみ、寒いからと襟《えりま》巻きや膝《ひざか》掛けを当ててやり、気がつくと古くからの妻のように男性の面倒をみているとか。

もちろん、その施設は男女の交際を積極的に認めているところだけに、好意を抱き合っている男女が近づくことは、むしろ歓迎されている。

そこで気楽堂は思いきって、愛し合っているらしい二人にきいたことがある。

「失礼ですが、セックスの関係はいかがですか」

それに対して、まず男性のほうが答えてくれた。

「こんな年齢《とし》なので、それはできません」

たしか、その男性は少し照れたような表情で答えてくれた。

「でも、夜はこの人が寝つくまで手を握り合っているのです。それだけで、安心して眠れるというので」

たしかに手を握り合うだけで、気持ちが落ち着くというのは、なんとなくわかるような気がする。

さらにその他のカップルでは、横になったまま、背中やお臀のまわりを撫《な》ぜ合ったり、軽く触れ合ったまま眠るという。

さらに驚いたのは、そうすることで血圧が落ち着いたり、腰痛が和らぎ、糖尿病が快《よ》くなった、という人もいるとか。

なるほど、躰《からだ》に手を添えられるのは、「手当て」というほど意味のあることだから、それを好きな人にされたら、かなり効果があることは当然かもしれない。

高齢者の返答に気楽堂が改めて感心したことは、いうまでもない。

高齢者の施設で、気楽堂がいまひとつ学んだことは、施設内での男と女の生活の違いである。

この点でもっとも目につくのは食事どきで、女性は必ず四、五人集まって食べながら、楽しそうに語り合っている。

これに対して、男性たちはたとえテーブルに四人いたとしても、なにも語らず、ただ黙々と食べている。

さらに食事が終わってからも、女性たちはティールームに行き、そこでさらに話し合っている。

しかし男性たちは、食事が終わると、ここでの用事はもう済んだといわんばかりに立ち上がり、早々に食堂から去っていく。

この、集まって賑やかな騒ぐせと、一人黙々と食事して去っていく孤立ぐせと、両方を比べたら、前者のほうがいつまでも若々しく活力を保てることはいうまでもない。

つまり、孤独なおじさま族が急速に老いるのは、当然といえば当然である。

それにしても、男たちはなぜあれほど孤独で、仲間と群れることを嫌うのか。

それは別に、男がことさらに孤独を好んでいるからとは思えない。

気楽堂も高齢になったので、そのあたりのことは、なんとなくわかる。

まず、みなと話すこと自体が面倒で鬱陶《うっとう》しいのである。それより一人になって、暢んびりしているほうが楽で疲れない。

それだけのことである。

しかしそうだとすると、これは明らかな体力不足とでもいうべきものかもしれない。

「たしかに……」と気楽堂はうなずかざるをえない。

男と女、どちらが体力があるかといったら、明らかに女性のほうである。

もちろん、男は若いときは体力があり、さまざまなことを積極的にやりこなすことができる。

しかし、五十代から六十代、そして七十代になると、男は急速に体力を失い弱っていく。

これに反して、女性は七十代から八十代になっても、なお矍鑠《かくしゃく》として動き廻っている。

「強き者、汝《なんじ》の名は女」

その事実が、高齢者施設では見事に表れている。

気楽堂はここでも医師として、多くのものを学ぶことができた。

いま思い返すと、大学病院にいるとき、気楽堂は多くの患者を受けもったが、そこで忘れられない患者が二人いた。

一人は八十歳の脊椎腫瘍《せきついしゆよう》を患っていた須藤という患者で、ベッドに寝たきりであった。

彼は以前、ある小学校の校長先生をしていたとかで、一見、紳士風の真面目な男性であった。

ところが、彼を担当していた正木《まさき》という看護師が、「あの患者さん、いやらしいのです」と訴えてきた。

「どうしたの？」

改めてきくと、毎朝、回診のとき、脈を診るために患者の手首を握ると必ず看護師の指を握り返してくるという。さらにベッドで清拭《せいしき》しながら前屈みになると、懸命に上体を起こして胸元を覗きこむとか。

「いやらしくて、大嫌いです」

それをきいて、気楽堂は一旦うなずいたが、次の瞬間、「でも、それくらい、見せてやれよ」といってしまった。

実際、寝たきりの須藤氏にとって、若い看護師の手を握り返したり、その胸元を覗きこみたくなるのは、当然の欲求ではないか。

たとえ、その程度、許したところで、看護師が特別の危害を受けるわけではないのだからいいではないか。

だが、正木看護師は潔癖性だったのか、「非道《ひど》いことをいう先生」と反撥《はんぱつ》し、そのことを看護部長に訴えたらしい。

おかげで、気楽堂は看護部長に呼び出され、「看護師に、そんなことまで要求されては困ります」と厳重注意をいい渡された。

気楽堂は表面は謝ったが、その実、納得しかねていた。

たしかに、理屈からいえば部長のいうとおりかもしれないが、それぐらい許す度量も看護師には必要ではないか。

とにかくそのトラブルは落ち着き、その後、須藤氏がその種のことをすることはなくなったようである。

だがその後、約一か月で須藤氏は急速に体力を失い、死亡した。

その経緯をつぶさに見て、気楽堂はそれなりに考えた。

あの、老いた下半身麻痺《まひ》の須藤氏にとって、若い看護師の手を握り返し、胸元を覗きこむことが、唯一の生き甲斐《がい》だったのではないか。

それを奪われて、須藤氏は生きる望みを絶たれ、黙って死ぬよりなかったのではないか。

その頃だが、いま一人、鈴木という八十歳近い女性の患者がいた。

彼女は大腿骨《だいたいこつ》骨折で入院していたのだが、術後の経過は順調で、一か月後からリハビリテーションをはじめていた。

ところがここに、足立という三十二歳の、ハンサムな理学療法士がいた。

鈴木のお婆ちゃんは、早速、この理療士が気に入ったらしく、なにかというと、「足立先生、足立先生」と、足立理療士ばかりを呼びつける。

すでに、リハビリの指示は出されていて、充分、説明したはずなのに、また同じような質問をし、さらには肢《あし》をさすって欲しい、と要求する。

それがあまりに度がすぎるので、看護師から、「注意して欲しい」といわれて気楽堂は出かけたが、たしかに甘い声で、「足立先生」と呼びかけ、彼に肢などを触れられると、うっとりとした表情で、彼を見詰めている。

「お婆ちゃん、彼は他にも沢山、患者さんをもっているのだから、独り占めしちゃ駄目だよ」

気楽堂が注意すると、聞こえぬように他の方を見ていて、気楽堂が去るとまた、「足立先生」と呼びだすとか。

これではいくら注意しても無駄である。

足立理療士もほどほどにやっていたようだが、「足立センセイ」という言葉が絶えることはないらしい。

おかげで「なんと甘えた、図々《ずうずう》しいお婆ちゃん」と、みなの顰蹙《ひんしゅく》をかっていたが、肝腎のリハビリのほうは順調にすすみ、一か月後に退院できるようになった。

だがここでも、お婆ちゃんは、「もう少し入院していたい」といいだし、それでもかまわず退院させると、週に三度もリハビリにやってくるとか。

なんという執念というか、逞しさなのか。とにかくこれも女性患者だからできること。

男性の患者なら、たとえ気に入った女性看護師がいたとしても、そこまで執拗《しつよう》にまとわりつかない。

それどころか、八十歳の須藤氏のように、胸元を覗いてはいけない、といわれただけで反省し、そのまま生きる気力を失ったのか、亡くなってしまった。

こんなところにも、男と女の執念の違いを見せつけられたが、人間、好色の思いこそ生命力だと、つくづく考えさせられたことだった。

こうした高齢者のことを思い返して、気楽堂は改めてうなずく。

「俺も、これでいいのだ……」

おかしな理屈づけかもしれないが、気楽堂はいまの自分の状態に納得する。

たしかにいま、自分は不能で、いわゆる性的行為は不可能である。

しかし、それ以外のことはすべてできる。

たとえば女性に近づき、二人で食事に行き、そこで「好きだよ」と訴える。

さらには愛を語り合い、手を握り、ベッドに誘う。

ここまで記すと、なにか色ごと師のように思われるかもしれないが、そんなことなど気にすることはない。

世間ではみな、不能の色ごと師などいるわけがない、と思うだろう。

でも、それがいるのである。

この自分自身が、まさしくいま、不能の色ごと師、そのものである。

それにしても、不能の色ごと師とは、お洒落《しゃれ》ないい方ではないか。

圧倒的なマイナスを背負っていながら、その世界の頂点にいる。それを知ったら、みな唖然として驚くに違いない。

よし、これからは、これを名のることにしよう。

気楽堂は一人でつぶやき、一人で微笑む。

ところで、不能の色ごと師くん、これからなにをやらかしますか。

そこで、ごく自然に思い出すのが、有賀弁護士のことである。

あの女性弁護士を口説くことにしよう。

はっきりいって、彼女は大物である。そのあたりにいる、遊び好きな女たちとはわけが違う。

むろん学識もあり、知的だし、プライドもありそうである。

そんな女性を、まず口説いてみたい。

たしかに、自分の実体は不能の色ごと師だが、幸か不幸か、表からはわかりようがない。

といって、自分は不能を恥じているわけではない。それどころか、むしろ、それこそ神が与えたもうたチャンスとして有効につかっていこう、と思っている。

とにかく不能であるかぎり、あそこが暴発して勝手に走りだすこともないのだから、すべて自分の管理下でコントロールできるはずである。

気楽堂は思わず、「俺は不能の色ごと師だぞ」と、いってみたくなる。

この言葉はまさに真実、どこにも嘘や偽りはない。

隠していることは、なにもない。

事実いま、気楽堂の手のなかには殿村夫人と千裕という、二人の彼女がいる。

二人とは、不能になってからもベッドをともにしたが、それで彼女たちが去っていったわけでもない。いや、去るどころか、二人との関係はこれからも続きそうである。

この事実は大きい。そして気楽堂にたしかな自信を与えてくれる。

そう、セックスとは、いわゆる性的関係だけをいうのではない。そうではなく、男と女が二人でいるときの、すべての関係をいうのである。

まず二人が会ったときから会話を交し、和《なご》み合い、ともに近づき抱擁し接吻《くちづけ》をする。そして互いに抱き合い、心も躰《からだ》も満たされる。

そのすべてがセックスである。

不能でも大丈夫。だから「不能の色ごと師」が生まれるのだ。

気楽堂は最後のところだけ口に出して、大きくうなずいてみる。

第八章　新しき恋

十月の初め、気楽堂は思いきって、有賀弁護士を食事に誘ってみた。

これまでは、医師と患者という立場からいろいろ話し、ときには冗談も交えて、大分、親しくなったつもりでいたが、今度は二人だけで食事でもしながら、いま一歩、深く話し合ってみたい。

気楽堂が電話で、その後の様子をききながら、「食事でもいかがですか」と誘うと、有賀弁護士は少し間をおいてからきいてくる。

「わたしで、よろしいのですか」

もちろん、彼女のように知的で品のある女性とゆっくり食事をできたら、こんな嬉しいことはない。

早速、空いている時間を尋ね、翌週の火曜日に会うことにした。

場所は青山通りに面したビルにある、「カシータ」というフランス料理店にして、店の名前と電話番号を告げると、彼女はあっさり「伺います」と答えてくれる。

不可能である。

「よし、これでいい」

なにか、待望の美女を手に入れたような気がして、気楽堂はうなずく。

しかし、これから二人で会ったからといって、ただちに自分の彼女にできるわけではない。

それどころか、万一、彼女が好意を抱いてくれたとしても、さらに深い関係にすすむことは不可能である。

「おまえは、できないんだよ」

気楽堂のなかで、もう一人の自分がそっと囁く。

もちろん、そんなことはわかっている。

でも、そこまで考える必要はない。

それより、二人で楽しく食事の時間を過ごせたら、それで充分である。

「余計なお世話だ」

突然、横から囁きかけてきた自分を、自分で黙らせる。

それにしても、新しい女性とデートの約束ができただけで、こんなに浮き浮きするとは。

なにか、「やったぁ……」と、叫びたい気分である。

これでは不能になったからといって、なんの関係もない。

「どうなっても、男は男なのだ」

気楽堂は一人でうなずき、一人で納得する。

約束の日、気楽堂が先にレストランに行って待っていると、有賀弁護士が現れた。

今日の彼女は白いインナーに黒のツイードのジャケットを着て、秋らしくエレガントで、よく似合っている。

さらに彼女が色白であることは、診察したときからわかっていたが、白地のインナーの襟元に覗いている鎖骨の窪みが、妙に、艶めかしい。

「なにか？」

あまり見とれていたので、彼女は不審に思ったようである。

「いや、素敵なので……」

思わず正直にいうと、彼女がかすかに笑って席に着く。

二人で向かい合って坐るが、窓の外は青山通りで、車が走っているのが見える。

「素敵なところですね」

どうやら気に入ってもらえたようである。

早速、オードブルが出てきて、気楽堂はグラスでシャンパンをもらう。

「少し、飲めるでしょう」

「でも、弱いので……」

かまわず、シャンパンで軽く乾杯して、気楽堂はようやく落ち着く。

「実は、いつかお誘いしようと思っていたのです」

「ありがとうございます」

料理はまず、築地《つきじ》で仕入れたばかりの鮮魚のカルパッチョが出てくる。

このレストランは、外国人の料理人もいて、料理が独創的なのが面白い。

そこで、シャンパンを飲み干すとワインが欲しくなって、赤ワインをボトルで頼む。

「わたし、本当に弱いんです」

それなら、なお飲ませたいが、そうもいえない。

「まぁ、ゆっくりでいいですから」


二人だけでゆっくり食事を終えたあと、気楽堂は「近いので……」といって、自分の部屋に誘うつもりである。

これでは、元気な頃と同じだ、と思うが、別に病気になったわけではない。

あそこがちょっと勃《た》たなくなっただけだが、女性への好奇心はかえって強まったようでもある。

これまで、何人かの女性を口説いてきたが、その場合、もっとも大事なことは、女性が危惧しているというか、気にしていることを、いち早く解消しておくことである。

たとえばいまの場合、気楽堂には妻がなく、独り身である、このことを、まず有賀弁護士に、はっきり知ってもらうことである。

そこで、「僕、この近くに住んでいるのです」と説明する。

「こんな賑やかなところにですか？」

「ここから、表参道のあたりが好きなのです」

実際、そのとおりだから、隠す必要もない。

「住むと便利だし、意外に静かで、なかなか離れられません」

「でも……」

有賀弁護士はそこで少し間をおいてから、きいてくる。

「奥さまも、こちらのほうがお好みで？」

「いや……」

気楽堂は待っていたというように、きっぱり否定する。

「実は、ワイフはもういないんです」

さらに続けて説明する。

「六年前、いまの病院を開業する前に、急に亡くなりまして……」

有賀弁護士はうなずきながら、改めて気楽堂を見て、

「じゃあ、それからずっと、お一人で……」

「ええ、初めは大変だったけど、もう慣れました」

ここまでいっておけば、一応、わかってもらえたろう。

気楽堂は少し安堵して、赤ワインを飲んでから思い出したようにいう。

「このあと、僕の家に来てくれませんか。すぐ近くで、歩いてでも行けるような距離ですが、来られたら吃驚《びっくり》されますよ」

「どうしてですか」

「いや、いろいろ散らかっているものですから」

男世帯の乱雑さを強調したほうが、彼女は来易《きやす》いかもしれない。

「ここから、車でワンメーターですから、ぜひ寄って下さい」

いやだといわぬところをみると、彼女も興味を抱いてくれたのかもしれない。


食事が終わって、改めて誘うと、彼女は従《つ》いてきてくれた。

しかし、夜間、一人で男性の部屋に来て、落ち着かぬようである。

気楽堂は少しでもリラックスしてもらうために、自らキッチンにある冷蔵庫を開き、彼女と自分と二つのグラスに冷えたウーロン茶を注《つ》いで差し出す。

「ここに、お一人でいらっしゃるのですか」

「もちろんです」

気楽堂はさらにドアの方を振り向いて、説明する。

「隣りが寝室です」

できることなら今夜、そこまで案内したいが、それではやりすぎかもしれない。

「静かでしょう」

病院と同様、青山の表通りに面しているが、夜間のせいか車の音も聞こえない。

「そうだ、こちらの夜景がきれいなのです」

気楽堂は思いついたように立ち上がり、ベランダに向かう。

まず、リビングルームとの境になっているガラスのドアを開き、スリッパのままベランダへ出る。

「どうぞ、こちらへ」

誘われて、有賀弁護士も立ち上がり、ベランダの前まで来る。

「そのままで、かまいません」

いわれて、彼女もベランダに出てきて、横に並ぶ。

秋の夜風が、そっと二人の前を過ぎていく。

左手はビルが建てこんでいるが、右手は開いて、その先に丸く大きなビルが見える。

「あれが、六本木ヒルズです」

彼女はゆっくりうなずいて、つぶやく。

「すごく、近いのですね」

ベランダの下は青山通りになっているが、夜のいまは大型車も見えず、タクシーなどが通りすぎるだけである。

ベランダの柵《さく》に片手をのせたまま、気楽堂が近づくと有賀弁護士の香水の香りが夜風とともに漂ってくる。

二人の位置は一メートルと離れていない。

このまま、気楽堂が右手を彼女の肩にかけたら、そのまま抱き寄せることができる。

「やって、みようか」

いまなら、彼女は逆らわないかもしれない。

「いこうか……」

気楽堂はいま一度、自分にきいてみる。

ビルのベランダで二人並んで夜風に吹かれながら、夜景を眺めている。

二人をさえぎるものはなにもない。

接吻《くちづけ》をするなら、いまがチャンスである。

「よし……」

気楽堂は心のなかでつぶやき、軽く横を見る。

気楽堂の身長は百七十センチ少しだから、接吻を交すには、ほど良いバランスである。

そこで気楽堂は思いきって右を向き、一気に彼女を抱き寄せる。

「あっ……」

郵　便　は　が　き

お手数ですが、
切手を
おはりください。

151-0051

東京都渋谷区千駄ヶ谷4-9-7

(株)幻冬舎

「愛ふたたび」係行

ご住所　〒□□□-□□□□ Tel.(　　-　　-　　) Fax.(　　-　　-　　)			
お名前	ご職業		男
	生年月日	年　月　日	女
eメールアドレス：			
購読している新聞	購読している雑誌	お好きな作家	

◎本書をお買い上げいただき、誠にありがとうございました。
質問にお答えいただけたら幸いです。

◆「愛 ふたたび」をお求めになった動機は？
① 書店で見て ② 新聞で見て ③ 雑誌で見て
④ 案内書を見て ⑤ 知人にすすめられて
⑥ プレゼントされて ⑦ その他（ ）

◆本書のご感想をお書きください。

記入いただきました個人情報については、許可なく他の目的で
用することはありません。
協力ありがとうございました。

思わず顔を逸《そ》らして逃げようとするのを、気楽堂はかまわず彼女の上体を引きつけ、唇を重ねる。

「いや……」といっているのか。

なお逆らうのを、しかと抱き締め、唇を重ねているうちに、彼女の抵抗が次第に薄れていく。

そのまま、舌をかすかに移し、唇をなぞる。

静かな夜である。

いま、通りに面したマンションの九階のベランダで、男と女が接吻を交している。

それは夜空も、そこに浮かんでいる月も、彼方《かなた》のビルの明かりも、みな知っているはずである。

だが、誰もなにもいわない。

そのまま、三十秒も経ったろうか。

いや、十秒にも満たぬかもしれない。

気楽堂は思い出したように唇を離すと、改めて抱き締め、彼女の耳許《みみもと》で囁く。

「好きだよ」

それに、彼女はかすかに顔をそむける。

突然の接吻に怒っているのか、それとも気持ちを落ち着けているのか、あるいは心を和らげているのか。

ともかく、気楽堂が再び抱き寄せると、今度は静かに顔を寄せてくる。

そのまま、気楽堂は自分で自分につぶやいてみる。

「おいおいおまえ、こんなことをして、どうするのだ」

「彼女を好きなのはわかるけど、これから本当に愛していけるのか」

気楽堂は自分の股間に意識を集中する。

だがそこは、なにごともなかったように静まり返っている。

ようやく、好きな人と接吻を交せたのに、肝腎のところは、なにも反応しないとは。

正直いって、今夜は一つの期待を胸に秘めていた。

もしかして彼女と二人になり、接吻を交し、ベッドをともにできたら、股間は逞しさをとり戻すのでは、と期待してもいた。

いや、それは夢見ていた、といったほうが正しいかもしれない。

だが、結果はなにも変わりはなかった。

いままでどおり、股間のものは静かに項垂《うなだ》れている。

「そうか……」

気楽堂は自分で自分にうなずく。

若いときなら、好きな女性と接吻しただけで股間のものは勃《た》ち上がり、騒《ざわ》めいた。

「待て」といっても落ち着かず、それをおさえるのに慌てふためいた。

しかし、そんな時代は、もはや遠い過去のことになったようである。

「もう、無理だよ」

気楽堂は、自分で自分にいいきかせる。

だが次の瞬間、「でも……」と思う。

「もしかして、ベッドでともに抱き合ったら……」

そこまでいけば、勃ち上がるのではないか。

いま、もっとも愛しているのは、この、すぐ横にいる有賀弁護士である。

彼女がベッドをともにして横たわってくれたら、股間のものもうごめきだすのではないか。

しつこいかもしれないが、気楽堂はまだ、あきらめたくはない。

いま少し夢を抱いていたい。

「とにかく、ベッドに誘うことだ」

ベランダにいたのでは、これ以上、身近に接することは難しい。

それにしても、これからベッドへ誘うことができるだろうか。

今夜、ともかく接吻だけはできたが、これから一気にベッドへ、というのは急ぎすぎではないか。

さまざまな思いにとらわれながら、気楽堂はいま一度、夜空に向かってつぶやく。

「焦っては、だめだ」

ふと夜風に触れて、気楽堂は囁く。

「戻りましょうか」

接吻ができたのだから、これ以上、ベランダにいる理由がない。

気楽堂に続いて、彼女が部屋に戻ったところで、ベランダのガラスのドアを閉め、ともに椅子に坐る。

だが、彼女は軽く顔を伏せたまま黙りこんでいる。

突然、唇を奪われた衝撃が大きすぎたのか。気楽堂が案じていると、彼女が立ち上がる。

「ちょっと、お化粧室はどちらですか」

「あ、廊下に出て、突き当たりが……」

気楽堂が立ち上がって説明すると、彼女がそちらに去っていく。

突然の接吻で、化粧がくずれたのかもしれない。

悪いことをしたと思うが、仕方がない。

愛しかったから奪ったので、そうでなければ奪うわけはない。

それだけはわかって欲しい。

そのまま待っていると、彼女が戻ってきた。

たしかに、顔も髪もきちんと整えられている。

これから少し話でもして、できたらベッドへと思ったら、彼女が軽く頭を下げる。

「そろそろ、失礼します」

「えっ、帰るの？」

慌ててきくと、彼女はゆっくりうなずく。

「もう少し」と引き留めたいが、彼女はすでに玄関に向かいかけている。

やはり、いきなり唇を奪ったことが、いけなかったのか。

気楽堂も立ち上がり、彼女にきいてみる。

「怒ってる？」

瞬間、彼女は振り返り、軽く首を左右に振る。

「じゃあ、怒っていないんだね」

変なきき方だと思うが、とにかく玄関まで送る。

そこで、気楽堂はさらにきいてみる。

「また、会えるね」

彼女はかすかにうなずき、ドアを開ける。

「下まで、送ろうか」

「いえ、大丈夫ですから」

きっぱりしたいい方に、気楽堂が戸惑っていると、有賀弁護士は自らドアを閉めて去っていく。

有賀弁護士は帰ってしまったが、とくに不快になったわけではなさそうである。

ただ、いきなり唇を奪われて、なにかいづらくなってしまったのか。

たしかに、あのままいてくれたとしても、こちらも、どうすればよかったのか。

もちろん、ベッドへ誘いたかったが、そこまで一気に求めては、焦りすぎのような気がしないでもない。

とにかく、いまは接吻を交せただけで充分である。

正直、そこまでゆけただけで、今日、デートした目的のすべては達せられたといっても、過言ではない。

それにしても、これからどうするか。

ここまですすんだのだから、あとは当然ベッドへ誘いたい。

だが、気楽堂の頭はそこで止まる。

たとえ、うまく誘えたとしても、はたしてできるのか。今日の股間の様子では自信はないが、駄目なら接吻を重ねるだけである。

それで、彼女は満足してくれるだろうか。

いや、満足するどころか、不審に思うかもしれない。

なぜ、躰《からだ》を求めてこないのか。本当に好きなら、そこまで求めてくるのが自然ではないか、と。

これまで、彼女があまり男性と接してきたとは思えない。いわゆる男遊びなど、してきた気配はまったくない。

しかし、彼女が男女の関係を知っていないとはいいきれない。それ自体は、すでに何度か体験しているに違いない。

それに比べて、この人はなぜ挿入してこないのか。

ただ優しく抱き締め、愛撫するだけで満足できるのか、と不思議に思うかもしれない。

これにどう応えるか。

とにかく、ここで、彼女をあきらめるのは惜しすぎる。

駄目なら駄目で、彼女と抱き合っているだけでいい。

それで、こちらの気持ちは充分通じるはずである。

それから先のことは、いま、ここで考えても仕方がない。

有賀弁護士とは、今夜、ようやく接吻を交せたばかりである。

まだ、恋の第一歩を踏み出したばかりである。

それなのに、いつセックスを挑むのか。それも、どのようなセックスが望ましいのか、などと考えている。

さらに、そのセックスができない自分の躰の状態を考えて、これから先のことまで案じている。

「少し、待て」

気楽堂は自分で自分を制する。

そんな先のことまで考えるより、いまは、まず接吻を交せただけで満足すべきである。

セックスなど、それからはるか先のことである。

接吻は、女性がまず相手の男を好ましく思っている、精神的に受け入れたことの証しでもある。

一夜でここまですすんだだけで満足し、納得すべきである。

もちろん、これから逢瀬《おうせ》を重ねたら、接吻から一歩すすんで抱擁し、さらには愛撫を重ねることになるかもしれない。

いや、実際、そうなりたい。

だが、そこまで順調にすすむとはかぎらない。

途中で、ふと、なにかのきっかけで愛が冷め、失せるかもしれない。

そんなときから、セックスができるか否かまで考えるとは、あきらかに、焦りすぎである。

それでは、セックスだけ考えている、そこらの青年と変わらない。

もっと暢《の》んびり、ゆっくりすすむべきである。

それにしても、今夜はまさしく計画どおりにすすんだ。

自分でいうのもおかしいが、なにか「見事……」としかいいようがない。
これで自分と彼女との関係は、単なる医師と患者という仲をのりこえたのだ。
そして彼女自身も、聡明な女性弁護士、という立場だけではない。
今夜から、二人は男と女、そう、愛し合っている男と女になったのだ。
いや、そこまでいうのは、まだ少し早いかもしれない。
しかし、互いに好意をもち合っているあいだ柄であることは、間違いない。
「よし……」
気楽堂は改めてうなずく。
相手はいろいろな男たちが容易に近づけなかった、女性弁護士である。
本当か否かはともかく、自分はそう思っているのだから、それでいい。
突然、気楽堂はみなに向かって叫びたくなる。
「今日から、不能の男に新しい恋がはじまるぞ」

第九章　夫人への告白

気楽堂が再び殿村夫人と逢ったのは、有賀弁護士とデートした五日あとだった。

夫人とは、前回、不能になったのを知ったときに会っている。

正直いって、そのときは驚き慌て、なにもできぬまま、ひたすら夫人を抱き締め、静かに愛撫だけを重ねていた。

もちろん、夫人は気楽堂の態度がいつもと違うと感じたはずだが、そのことについてはなにも尋ねず、帰っていった。

それからかなり経っているが、誘うとあっさり出てきてくれた。

ただし、いまはご主人が家にいることが多くて夜は出づらいということで、逢ったのは日曜日の午後だった。

気楽堂は早速自分の部屋に迎え入れ、軽く雑談してからベッドルームへ誘う。

夫人とはもう何度も情事を重ねているので、とくに気をつかうことはない。

ベッドルームのカーテンを閉じ、部屋を暗くしてから気楽堂がベッドに入って、夫人を待つ。

やがて夫人が黒のスリップ姿で入ってくるのを、気楽堂は待ちかねたように抱き寄せ、「逢いたかった」と囁いたが、それは正直な実感である。

前回は、なにかぎこちない別れ方だったので、その償《つぐな》いをしたい。

といっても、改めてペニスを挿入できるわけではない。

それは無理だが、かわりに、できるだけ愛撫を重ねて夫人に満足してもらいたい。

そんな気持ちで気楽堂は夫人を抱き寄せ、まず肩から背を優しく撫《な》ぜてやる。

もしかしたら、と淡い期待はあったが、やはり局所は萎《な》えたまま勃《た》ち上がる気配はない。

それは、予測していたとおりだから慌てることはない。

気楽堂は改めて夫人に密着し、右手を夫人の股間に近づける。

しかし当然のことながら、秘所に挿入するものはない。

そのかわり、というわけではないが、気楽堂の右手が夫人の股間をゆききしながら、ようやく探し当てたように膣《ちつ》の入口に到達する。

秘所は待っていてくれたのか、いくらか潤っているようである。

以前は、「焦ってはいけない」と自らにいいきかせていたが、いまは焦らせるものはなにもない。

そのまま、気楽堂の右手の中指が膣の入口を分け、かすかになかへ入りこむ。

これまでの肩から背へ、そして股間への愛撫などで、夫人の躰《からだ》はすでに受け入れる状態になっているようである。

だが、気楽堂は一気にすすまない。

まず、指の先端を膣のなかへかすかに滑りこませ、そこでしばらくとどめてから、一旦引き、再び思い直したように入っていく。

そのまま入っては引き、引いては入る。

それをくり返しながら、指先は的確に膣の内側のもっとも敏感な陰核へ触れていく。

はっきりいって、これだけの複雑な愛撫はペニスでは不可能である。

たとえペニスがここに触れたとしても一瞬で、そのまま通過していくだけである。

だが、気楽堂の指は、そのもっとも鋭敏な一点をとらえたまま離さない。

その指の動きに合わせるように、夫人は切なげな溜息を洩らすが、気楽堂はやめはしない。

これまで、ペニスに頼っていたときは、ここまで執拗に攻め続けることはできなかったが、いまは指を動かすだけだからとどまることはない。

それだけに、夫人は耐えきれなくなったのか、「やめて……」とつぶやき、「ねぇ……」と哀願する。

だが気楽堂はかまわず、中指の内側で熱くふくらんだクリトリスを撫でまわす。

「だめ、だめよ……」

「よし、このまま、思いきり果ててごらん」

気楽堂が心のなかでつぶやきながら、さらに激しく指を動かすと、ついに夫人は耐えきれなくなったようである。

「あっ、だめ……」

いつもの穏やかな夫人からは想像もつかぬ切なげな声をあげ、顔を左右に激しく振って、しがみついてくる。

その熱くなった肌を、気楽堂は抱き締めながら、ゆっくりうなずく。

「よし……」

ここまでなにも挿入していない。ペニスは股間で縮んだまま静まり返っている。

しかし、夫人は果ててくれたようである。

たしかに、いまの正直な気持ちは、「果ててくれた」というのが当たっているかもしれない。

「こういうことがあるのか……」

気楽堂は改めて密かにうなずき、納得する。

「ペニスなぞなくても、女性を満たしてやることはできるのだ」

このことは、以前から予測していたことである。

もしかして、とは思っていたが、いまこそ、たしかに実感することができた。

もっとも、きちんとペニスを挿入して果てたケースと、いまのように、挿入せずに果てたケースと、いずれが女性にとって悦《よろこ》びが強いのか。

そのあたりは、気楽堂にはわからない。

できたら、きいてみたいとも思うが、正直いって、そこまできく勇気はない。

しかし、いま、満たされた夫人の様子は、以前とあまり変わらない。

いや、見方によっては、挿入していなかったいまのほうが、強く、激しかったような気がしないでもない。

「とにかく……」

なまじ挿入していないほうが、手と指による愛撫を充分くわえることができた。

さらに強く抱擁し、肩から背へ、そして股間を充分愛撫することもできた。

それが、功を奏したことは間違いないようである。

気楽堂は改めて夫人を胸に抱き寄せる。

夫人は五十代の初めだが、そんな年齢《とし》を感じさせない、柔らかい肌である。

当然、この肌には、夫人のご主人も触れているに違いない。

たしか、気楽堂が調べたかぎりでは、ご主人は製薬会社の役員で五十五、六歳のはずである。

彼とは、いまも性的関係があるのだろうか。

いや、前に見た、「私たちの性白書」によると、五十代で二か月以内に性的関係をもった夫婦は二十パーセントにも達していなかった。

とすると、夫人と夫とは、ほとんど関係していないのか。

あるいは、ときに夫から求められることがあっても、夫人は拒否しているのか。

現実に、自分という男と関係しているのだから、夫とは関係していない、と考えたほうが自然かもしれない。

とにかく、夫人が許しているのは自分だけである。

そうでなければ、あれほど満たされ、悦《よろこ》ぶわけはない。

それが偽りか、つくられたものかなど、考える必要はない。

それに、もし偽りなら、わざわざここまで出てくることもないだろう。

人妻が、夫の目を盗んで男の許《もと》へ来る以上、自分を愛してくれていることは間違いない。

自惚《うぬぼ》れかもしれないが、そう考えても間違いなさそうである。

さまざまな思いをめぐらせながら、気楽堂はここで、正直に告げてみようかと思う。

つい最近、不能になったことを。そしてその状態はいまも変わらぬことを。

実際、この状態は今後も改まることはなさそうである。

しかし、そのかわり、夫人には懸命に尽くす。

これまでのように、ペニスを挿入することはできないが、愛撫や接吻《くちづけ》で秘所を充分潤わせ、さらに全身を熱く燃えさせる。

いや、そこまでいうのは、いいすぎかもしれない。

しかし、いま、果てた直後なら、夫人は納得してくれるかもしれない。

不能になったことを告白しても、それでしらけたり、去っていくことはないだろう。

ベッドのなかで、気楽堂は改めて夫人を抱き寄せ、胸と胸が触れ合ったところで、そっとつぶやく。

「実は、駄目になってね」

それだけいって、思わず黙りこむ。

さらに説明しなければ、と思うが、言葉が出てこない。

仕方なく、夫人の片手を自分の股間に近づけて、「ここが……」といったので、わかってくれたのか。

そのまま黙っていると、夫人は自分から上体を軽く寄せてつぶやく。

「そんなこと、いいのよ」

それは勃たなくてもいい、ということなのか。

気楽堂が考えこんでいると、夫人がきっぱりという。

「わたし、抱かれているのが、いいの」

「ありがとう」

気楽堂が思わず礼をいって抱き締めると、夫人がさらにつぶやく。

「あなたを、快《よ》くしてあげたい」

「そんな……」

はっきりいって、いまは夫人さえ快くなってくれたら、気楽堂は充分、満足である。

「君が快くなったら、僕も快くなって……」

そう、はっきり感じたわけではないが、そんな感じはたしかにあった。

互いに躰《からだ》を寄せ合ったまま、気楽堂は改めてセックスのことを考える。

いったい、性行為とはなにをもっていうのだろうか。

漠然と考えるうちに、思いがけないことに気がつく。

局所を合わせるセックスなぞ、なくてもいいのかもしれない。

子供が欲しいならともかく、いま、夫人とのあいだに、子供が欲しいなどと思ったことはない。

そしてそれは、夫人も同じに違いない。

それより、いま必要なのは、夫人を心地よくしてやることである。夫人を性的に満足させて、二人の愛をたしかなものとする。

改めて、気楽堂は夫人にきいてみる。

「やはり、あれをしないと、おかしい？」

その質問に、夫人がゆっくりと首を左右に振ってくれる。

「よかったぁ……」

たしかにいま、ともに愛し合った女性が、なくてもいい、といってくれたのだから間違いない。

「僕たち、子供が欲しいわけじゃ、ないんだから」

ここだけは、気楽堂は自信をもっていっておきたい。

「それなのに、あれを……」

さらに、「挿入するなんて……」といいたかったが、それでは露骨すぎるので、そこまでで、とどめておく。

「でも、みなはセックスといったら、それしかないと思っている」

一般の男女のあいだでのセックスでも、女性が妊娠することなぞ望んではいない。それより、愛し合う男女が親しく肌を接し合い、心地よくなりたいだけである。

むろんこれらは、自分が不能になったから、気がついたことである。不能にならなければ、ここまで気がつくことはなかったに違いない。

してみると、不能になって、新しいセックスが見えてきたということか。

ペニスなどに頼らず、愛撫と抱擁で満たしていく新しい愛の形を見付けた、といってもいい。

気楽堂は密かに、自分で自分にいいきかす。

「おまえは不能になったのだから、これでいくよりないんだよ」

たしかに、男としての逞しさは失ったが、同時に、なにか楽になった気がしないでもない。

実際、いままでは女性とベッドをともにする度に、局所がきちんと勃《た》つか否か、そればかり気になっていた。

そして、間違いなく勃起するように、事前にバイアグラを服用し、その他の強壮剤に近いものを食べることも多かった。

さらに、挿入したとしても、局所がどれくらいもちこたえてくれるのか、それも気になっていた。

だがこれからは、そんなことを心配したり、気にする必要もない。

初めから勃たないとわかっているのだから、それを案ずることなぞ不要である。

「これで、よかったのだ」

気楽堂は自分で自分にうなずき、納得する。

だが次の瞬間、新しい疑問もわいてくる。

これで、女性たちは納得してくれるのか。

そのことを、いま一度、たしかめたい。

怖いが、はっきり夫人にきいてみよう。

気楽堂は夫人の耳許《みみもと》に口を寄せる。

「ねえ……」

気楽堂は改めて殿村夫人にきいてみる。

「これから、こんなことでもいい？」

咄嗟《とっさ》に、夫人は意味がわかりかねたようである。

そこで、気楽堂は説明する。

「いまのように、あれは休んだままだけど」

今度は、夫人がゆっくりうなずいてくれる。

「よかった……」

思わず、気楽堂はつぶやく。

気楽堂が安堵していると、夫人がそっときいてくる。

「でも、あなたはいいんですか？」

それは先程もきかれたことである。

夫人は自分だけ快《よ》くなって、申し訳ないと思っているようである。

「僕のことはいいんだ」

そこだけは、はっきりいっておいたほうがよい。

「君が快くなってくれる。それを感じるだけで充分に……」

それだけではわかりかねるかと思って、さらにつけくわえる。

「僕も、同じように、いったような気分になって……」

そこまではっきり感じたわけではないが、そのように理解してもらったほうがよさそうである。

「すごく、嬉しいんだ」

夫人はきき終えると、自分から気楽堂の胸元に顔を忍ばせ、ひたと寄り添ってくる。

夫人が満足してくれるのなら、千裕も多分、納得してくれるに違いない。

そして、あの有賀弁護士も……。

いや、彼女とはまだ、そこまで接していないのだから、わからないが。

とにかく、これからはこのやり方でいこう。

いま、気楽堂は、「気楽堂方式」とでもいうべきものを確立したようである。

これは、男と女の夜の営みのために、もっとも重要で適切な方法である。

そのポイントの第一点、それは男のペニスを必ずしも女の膣内に挿入しないこと。

それより、むしろ女性の全身的な感覚を刺戟し、快感を高めてやる。

具体的にいうと、互いに優しく抱き合う。もちろん、このとき愛の言葉を囁き、接吻を交す。

それで充分、心が安らぎ、躰《からだ》も馴染んだところで、女性の全身を愛撫する。

まず、男は女性の肩から背を優しく撫ぜるとともに、さらに唇や乳首へ接吻をくわえる。以上を、ゆっくり優しくおこなってから、愛撫の範囲を肩と背から股間に移していく。

これらはいま少し前、気楽堂が殿村夫人に対しておこなってきたことである。

確実に女性が燃えてきたのを察知したところで、自分の方へ引き寄せ、右手の中指を女性の股間に近づける。

このとき当然のことながら、女性の膣は柔らかく濡れている。

以上をたしかめたところで、中指をクリトリスの上に重ね、上下へゆっくりと撫でてやる。

女性は快感を覚えて小さく声を洩らし、同時に身悶《みもだ》える。

ここまで達したら、愛撫はもはや成功したと見て間違いない。

だが、男はなお指の愛撫をくり返しながら、さらにその先端を膣内に挿入する。

瞬間、女性は思わず声を洩らし、自分のほうから、すがりついてくる。

ここまできたら、女性が果てるのは時間の問題である。

実際、それから一分も経たず殿村夫人が果てたように、女性は全身を震わせ、大きく身悶えたまま果てていく。

これこそまさしく、「気楽堂方式」というべきものである。

第十章　愛しきゆえに

正直いって、いま一番会いたいのは有賀弁護士である。

それというのも、これまで彼女のような知的で、冷やかに落ち着いている女性と親しくなったことはないからである。

はたして、あのような女性を自分の彼女にすることができるのか。

単純にいったら、まず難しそうである。

だが先日、自分の部屋のベランダに連れ出して接吻をすることができた。

むろん、好んで受け入れてくれたわけではなかったが、それほど逆らわず、唇を重ねることができた。

はっきりいって、あんなに嬉しかったことはなかった。

いや、これまで殿村夫人や楓千裕と接吻を交したときも、それなりに緊張して全身が熱く燃え上がった。

だが、いずれもかなり以前のことである。しかもそれから何度となく、愛を重ねている。

もちろん、彼女たちを愛しているし、放す気はないが、いま誰に一番会いたいかときかれたら、有賀弁護士ということになる。

彼女については、まだ未知な、わからないところが無数にあるだけに、実際以上に惹《ひ》かれている、ということかもしれない。

それに、いま一つ。もし、有賀弁護士と二人だけになり、ベッドをともにすることになったら、そして彼女を求めるところまですすんだら、もしかして、その瞬間、自分のものが勃《た》ち上がるのではないか。

「いやいや、そんなことはない」

もはや、あそこが不可能なことは、殿村夫人でたしかめたはずである。

むろん千裕とも駄目だった。

それなのに、有賀弁護士となら可能になることなど、ありうるはずがない。

そう思いながら、もう一人の気楽堂が、「もしかして……」と、つぶやいている。

有賀弁護士と再び会ったのは、初めて二人だけで会ってから半月少し経った、十月の末だった。

今回は胸元がV字形に開いた淡いローズ色のワンピースで、少し派手な感じがするのは、緊張が薄れたせいなのか。

前に行ったのは青山のフランス料理店であったが、今夜は赤坂の「三平《さんぺい》」という和食店に誘い、そこでまずビールとお酒をもらう。

丁度《ちょうど》、ふぐの刺身があったので、それをつまみに飲んでいるうちに、彼女の眼のまわりがほんのりと朱をおび、艶めかしくなってくる。

今夜は積極的に迫ってみたい。気楽堂はそのつもりで自らも酒を飲む。

これまでなら、飲みすぎると、あそこが駄目になる、という不安があったが、いまはそんなことを心配する必要はまったくない。

そのまま、最近、彼女が関わった事件のことなどをききながら、一時間半ほど「三平」にいて、最後に誘ってみる。

「また、僕の家へ行きませんか、ちょっとお見せしたいものがあるのです」

有賀弁護士は少し考える表情になって「なんでしょう」ときく。

「とにかく、行ってみればわかります」

拒否する気配もないので、表に出てすぐタクシーを拾い、奥の席へ乗せてしまう。

「なにか、躰《からだ》が熱くなってしまいました」

彼女は少し飲みすぎたようだが、こういうときこそチャンスである。

気楽堂はうしろの席に並んで坐りながら、なに気なく彼女の手に触れてみる。

「あたたかい、柔らかい手だね」

こんな手で打診されたら、かえって熱が出そうだが、今夜はこちらから打診する予定である。

車は十分少しでマンションに着き、エレベーターで自室のある九階へ上がる。

前回は二人で夜景を見たが、今夜はそのまま手を引くように自分の書斎へ誘い、まず冷蔵庫から冷たいウーロン茶を出してきて彼女と自分と、二つのグラスに注ぐ。

「どうぞ……」

また、飲まされるのかと思ったようだが、ウーロン茶と知って安心したようである。

彼女が軽く一口飲むのを待ってから、気楽堂は「こちらへ、どうぞ」といって、立ち上がる。

有賀弁護士はそろそろ従《つ》いてきたが、部屋に入ると、奥にベッドがあるのを知って驚いたようである。

入口で立ち止まっているのを、気楽堂はかまわず手を引き、「あれを見て下さい」と壁の画を示す。

そこには、小さな画面に二つの顔が向かい合ったまま触れ合うように描かれている。

クロッキーなので色はほとんどなく、輪郭《りんかく》だけだが、男と女であることは寝室の淡い光でもわかるはずである。

見せたかったのは、まさしくこの絵である。

「いいでしょう」

気楽堂がきくが、有賀弁護士は黙って見詰めている。

そのまま身近に並んでいると、彼女の淡い香水の香りが漂ってくる。

それに引き付けられるように顔を寄せると、彼女が慌てたように顔を引く。

その瞬間を逃さず、一気に抱き寄せ、唇を求める。

「あっ……」

驚いて顔を左右に振るので、気楽堂は一旦手をゆるめ、それからもう一度、優しく抱きなおす。

「好きだよ」

そのまま唇を求めると、彼女が顔をそむけるが、かまわず求めると、今度は許してくれる。

前回、接吻をしたのは、夜のベランダであったが、いまは寝室のベッドの前である。

このまま一気に、と思うが、そんなに急ぐことはない。

それに、気楽堂の躰のなかで、焦っているものはなにもない。

しかし、より近づき、できることなら肌を触れ合わせたい。

気楽堂は彼女の手をとりながらベッドの端に近づき、そこでゆっくりと倒れこむようにベッドに横になる。

「あっ……」

彼女が慌てて起き上がろうとするが、かまわず引き寄せ、抱き締める。

だが、ともに服を着たままで、彼女は淡いローズ色のワンピースを着ている。

このままでは皺《しわ》だらけになるし、気分的にも落ち着かない。

「少し脱いで……」

気楽堂は正直にお願いする。

下着までとはいわないが、ワンピースとストッキングくらいは脱いで欲しい。

それに、気楽堂自身も楽になりたい。

そこで起き上がり、隣りの部屋でシャツとズボンを脱ぎ、戻ってきて、寝室の明かりをすべて消す。

「ねえ、お願い……」

再びいわれて、彼女はようやく承知してくれたようである。

そっと起きて、服を脱いでいる。

「そこに、台があるでしょう」

脱いだものはその上に、という意味だが、わかったのかどうなのか。

それから短い時間があって、彼女が再びベッドの前へ来る。

どうやらワンピースだけは脱いで、水色のスリップ姿になっているようである。

「ありがとう」といいたい気持ちをおさえて、気楽堂は彼女を抱き寄せる。

ともかく、弁護士でもある女性が下着のままベッドに入ってくれたことが嬉しい。

そのまま抱き締めていると、彼女の体温がゆっくり伝わってくる。

「もうこれで、すべて許してくれるかも」

気楽堂は一人でうなずくが、局所はやはり静かに項垂《うなだ》れている。

そのまま、左の手で軽く触れてみるが、やはり反応はない。

「そうか……」

気楽堂は改めて、うなずく。

ここまできたら、もはや未練がましく期待することはやめよう。

「俺はもう勃たないのだ」

そこからすべてを考え、行動する。

「わかったな」

いま一度、自分で自分にいいきかせる。

かわりに、ここでやるべきことは有賀弁護士を愛撫し、心地よくしてやることである。

それが遮二無二ベッドへ引きずりこんだ男の、女性に対する礼儀である。

気楽堂は改めて彼女を抱き寄せ、右手を肩から背へまわし、その手がさらにブラジャーのフックに触れる。

ここで一気にそれも外して、乳房を摑みだしたい。

だが、焦ってはいけない。

気楽堂は自らにいいきかせ、さらに右手を彼女の背から腰へ移動して左右にさする。

瞬間、彼女は身をよじるが、逆らうというわけではない。

それに自信をえて、さらに数回くり返し、再び背へ戻ってくる。

そろそろブラジャーを外そうか。

むろん、「外していい?」ときいたところで、うなずくわけはない。

ここは強引にゆくよりない。

愛を全うするには、優しさと強引さと、二つが必要である。

気楽堂は戯れるようにフックのあたりに触れながら、やがて意を決め、左手で上体を引き寄せる。

瞬間、彼女が逆らうが、気楽堂はかまわず彼女を抱き締めたまま右手でフックを外してしまう。

たちまち胸元が広がり、乳房が現れる。

ほっそりとした躰に、思いがけない豊かな乳房である。

そのすべてをしかと見たいが、気楽堂はそれよりまず、「落ちつけ」と自らにつぶやき、両手で彼女を抱き続ける。

そのまま数分経ったろうか。

乳房が露出したおかげで、胸元の温もりは充分感じたが、気楽堂の股間がうごめく気配はない。

「やはり……」

気楽堂は改めて納得しながら、右手を彼女の腰の方へ移動する。

相変わらず、有賀弁護士の顔は気楽堂の胸のなかにうずまっている。

しかもブラジャーが外れて、残っているのはパンティだけである。

そのまま左手で軽く抱き寄せたまま、右手は彼女の腰からお臀のあたりに当てておく。

ここも温かく、なめらかな肌である。

それを充分、堪能《たんのう》したところで、そっと指先をすすめてお臀に触れると、彼女が再び身をよじる。

「ごめん、ごめん、そこまでは、まだいかないよ」

そういいたい気持ちをおさえて手を引き、再び迷いこんだように指先をパンティのなかに忍ばせる。

とにかく、愛には根気が必要である。

はっきりいって、若い頃はこんなふうにゆっくりすすむことはできなかった。

ベッドに二人きりになった途端、そのままいきなり求めて、彼女を怒らせたこともあった。

「もう少し静かに、優しく求めて」というのに、応じられない。

このあたりは、当然のことながら、局所が勃《た》ち上がっている男の高ぶりだが、受け入れる側は、そんな簡単に受け入れるわけにいかない。

なにが、どんな形で、こちらの躰《からだ》のなかに入ってくるのか、それを理解し、納得したところでしか許せない。

この両者を比べたら、受け入れる側が慎重になるのは当然である。

女性が、性急な男を嫌うのは無理もない。

しかしいま、気楽堂は焦ることはまったくない。

年を経て、経験を積んだこともあるが、それ以上に、肝腎のものは大人しく静まり返っている。

ここで、急がなければならぬ理由はまったくない。

気楽堂の気持ちを、彼女は充分わかっているはずだし、そのことを避けようとしているわけでもない。

もちろん、挿入することなぞ考えていないが、パンティだけは脱いで欲しい。

これさえ除けば、彼女は全裸になる。

気楽堂はなに気なく右手を彼女の腰に当て、パンティの端に手を添える。

そのまま引きずり下ろせば、簡単である。

だが、できることなら優しく、ゆっくりと除きたい。

そのまま、右手を少しパンティのなかに忍びこませ、上下に動かし、さらに左右に移動する。

それをくり返し、手とお臀の肌の感触を馴染ませたところで、右手をパンティの端に当てて一気に引き下ろす。

瞬間、彼女は「あっ……」とつぶやくとともに腰を引き、気楽堂の手だけが空転する。

考えてみると、それは当然かもしれない。

図にのって、こちらが少し急ぎすぎたようである。

そのまま、さらに下半身を寄せると、気楽堂の股間と彼女の秘所が接近する。

だが、気楽堂のそこはぴくとも動かない。

気楽堂は一瞬、目を閉じ、「勝手にしろ」と股間にいい放つ。

そして、気楽堂のなかに一つの決意が固まっていく。

他の男たちのように、ここでへなへなと崩れたりはしない。ここから俺は俺らしく立ち上がるのだ。

胸に女性を抱きながら、気楽堂は新たに決意する。

「彼女を思いきり、快《よ》くしてやろう」

意を決した気楽堂は、まず彼女を抱き寄せ、改めて接吻をしてから、囁く。

「すごく、素敵な躰だね」

それは会って肌を触れ合ったときから、感じていたことである。

「いいなぁ……」

気楽堂は正直につぶやき、改めて彼女の肩から背を、そしてウエストからお臀まで撫《な》ぜてやる。

「すべすべしている」

実際、撫ぜているうちに、すべての肌が生き返ったように艶《つや》やかになる。

どうやら、彼女はこんな愛撫を受けたことはないようである。

もちろん、これまで男性と接したことはあるのだろう。彼女ほどの女性なら、一人や二人、真剣に言い寄った男もいたに違いない。

しかし、結婚しなかったということは、それ以上、惹かれる男性はいなかったのか。

いや、そんなことはどうでもいい。それより、いま大事なのは、彼女を思いきり心地よくしてやることである。

全身が溶けるほど、快《よ》くしてやりたい。

気楽堂は改めて、彼女の下半身を引き寄せ、ウエストからお臀をさすり、そしてときどき股間に手を添える。

その都度、彼女は腰を引きかけるが、かまわずくり返すうちに強張りが失せてくる。

このペースを守りながら、さらに背から腰へ、そして、ときに股間に触れる。

それをゆっくり、くり返しながら、軽く彼女の上体を仰向けにする。

当然、この形にすると、さらに股間に触れ易くなる。

そのまま、ときに秘所に触れ、そしてまわりを愛撫しながら、そっと囁く。

「好きだよ」

それはまぎれもなく、事実である。

いま、他の誰よりも、この女性を愛していることは間違いない。

それを数回くり返し、さらに一段深く股間に分け入ると、そこは柔らかく濡れている。

間違いなく、彼女は感じてくれている。

それに応じてというか甘えて、クリトリスに触れると、彼女が「あっ」とつぶやき、身をよじる。

気楽堂は戯れに触れたように指をずらし、また思い出したように秘所に触れ、それをくり返しながら、そこが充分、潤っているのをたしかめる。

ここまでどれくらいかかったのか。十分か、いや、二十分はかかっているかもしれない。

ともかく、充分、愛撫をくり返したところで、気楽堂は自らの指を仰向けにして、膣の内側にそっと入れてみる。

「うっ……」

再び彼女がつぶやくが、気楽堂はかまわず指先を軽く左右に揺らしてやる。

それとともに彼女は軽く首を左右に振り、「だめ……」とつぶやく。

だが、気楽堂はやめはしない。さらに指先を右から左へ、そして左から右へ行き来させながら、ときに強くおしこむ。

「だめ……」

もっとも感じるところをとらえられて、彼女は、たまらず声を洩らすが、気楽堂はきこえぬように愛撫をくり返す。

いま、気楽堂は、ある種の残忍な思いにとらわれている。

先程から、彼女はベッドのなかで軽くおさえこまれたまま、もっとも感じる個所を的確に責められている。

もはや膣のなかはもちろん、股間も腰も熱く燃え上がり、悦《よろこ》びのきわみに昇りつめているようである。

だが、気楽堂の愛撫は止まらない。

「あっ……」と切なげに悶《もだ》えれば悶えるほど、愛の鞭《むち》がしなりだす。

もしかして、自分はいま、残忍な仕置人になっているのかもしれない。

「そう、まさしく仕置人なのだ」

ここまできても、肝腎の股間のものは勃《た》ち上がる気配はまったくない。

そのかわり、いや、かわりどころではない。勃ち上がらぬ、その口惜《くや》しさをはね返すように彼女の秘所を責め続ける。

これは、まさしく復讐《ふくしゅう》である。勃ち上がらぬ股間のものにかわって企《たくら》まれた復讐である。

「まだまだ、悶えろ」

気楽堂の指が、さらに一段激しくクリトリスを掻《か》きまぜ、撫でつける。

「ねえ、だめ……」

ついに、彼女に断末魔が訪れた。

もはやこらえきれぬところまで、追いつめられたようである。

「それなら、ゆけ」

冷やかに、さらにひと揉みクリトリスを掻き上げた瞬間、彼女は「ああっ」という叫びととともに、全身で気楽堂にしがみついてくる。

それをしかと受けとめ、思いきり抱き締めながらつぶやく。

「放さない」

いま全身で抱きついてきた彼女はもとより、初めは逆らった彼女も、そしてクリトリスの愛撫でゆき果てた彼女も、そのすべてが可愛く、愛おしい。

「好きだよ」

いま、彼女は、気楽堂の懸命な愛撫を受け入れ、されるがままに燃え上がり、最後はたまらず果てた。

その過程は、まさしく気楽堂が意図したとおり、寸分の狂いもなく満たされたようである。

「ありがとう……」

できることなら、気楽堂は有賀弁護士にそういって頭を下げたい。

もちろん、いまも気楽堂の局所は静まり返ったまま、なんの務めも果たしていなかった。

だが、そこがくわわらぬまま、彼女が果ててくれたことが嬉しい。

なまじ、局所なぞなくても、彼女を満たしてやることができる。それを知ったことで、充分、納得し、男としての自信が芽生えてくる。

「俺は、男なのだ」

心のなかで、気楽堂は密かにつぶやく。

これだけ彼女を満足させたら、間違いなく男である。

男だといっても、ここまで彼女を満たせていない男たちは無数にいる。

あそこが勃《た》つとはいえ、それだけにとらわれて、女性を少しも快《よ》くしていない男たちもいる。

それに比べたら、自分はまさしく男である。

ここまで彼女に尽くし、悦びの頂点に押し上げたのだから、まさしく、男のなかの男に違いない。

気楽堂は密かにつぶやき、密かにうなずく。

「この方法で、これからも彼女を満たしてやる」

いまようやく、気楽堂は自らの躰に、自信をとり戻すことができたようである。

第十一章

同期の仲間

気楽堂たちの、同期のクラス会がおこなわれたのは、秋も深まった十一月の初めであった。場所は卒業した大学に近い、紀尾井町《きおいちょう》のホテルの宴会場である。

ここに定刻の六時に行くと、すでにほとんどの者が集まって、ビールやワインを飲みながら賑やかに語り合っている。

気楽堂の同期は八十名少しで、亡くなったのが数名いるが、他はみな元気でそのまま医師を続けている。

もちろんそのなかには、大学教授をやっていた者もいるが、いまはほとんど定年でやめ、気楽堂のように開業しているか、個人病院に勤めているようである。

気楽堂が会場に入っていくと、数人の男が寄ってきて、「おう、元気か」と声をかけてくる。

たしかに元気だが、正直いうと、不能になったばかりである。

だが、そんなことは、いうまでもないことなので、早速、水割りをもらい、数人と乾杯する。

「おまえ、青山に面白い病院を開業しているそうだな」

同期で親しかった石原がきいてくるのに、他の数名もきき耳を立てる。

「なんだ、楽々医院だって」

「違う、気楽堂医院だ」

みな、よくわかっていないようなので、気楽堂はその理由を説明してやる。

「なるほど、面白いことを考えたものだな」

石原は専攻が内科で、横浜の公立病院の院長をしていたはずだが、五年くらい前から、やはり横浜で開業しているときいていた。

「それで、ずいぶん、はやってるんだって」

「いやいや、外来だけで、入院はやっていないから」

「たしかに、もうこの年齢《とし》になったら、入院までは面倒みられないな」

話していると、幹事が一段高いところに上がって、「みな席に着いてくれ」という。

全員が席に着くと、まず、この一年で亡くなった三人の級友の冥福《めいふく》を祈り、それから各々の近況報告に移る。

もうみな、気楽堂と同じ七十三歳から、七十四、五歳のはずである。

それらの話をききながら、気楽堂はふと、この仲間たちはセックスのほうはどうしているのだろうか、と考える。

改めて会場を見廻すと、みな元気そうだが、出席者が五十名だということは、同期の七割弱が出席していることになる。

とすると、それ以外の者は所用でもあって出られなかったのか、それとも病気でもして療養中なのか。

もちろん、学生時代、親しかった北村も森下も、江口もいる。

それらの顔を見ているうちに、気楽堂は、この男たちの性的能力はどうなっているのかと、考える。

いずれも、気楽堂とほぼ同じ年齢だから、インポテンツになっていてもおかしくない。

しかし、そんなことはいきなりきけないので、さし当たり、いまの勤め先や、以前からやっている医院のことなどが中心になる。

なかには、息子が医師になっていて、ともに医院を経営している気楽な者もいる。

それにしても、みな、彼女などはいないのだろうか。

気楽堂の関心はついそちらのほうにゆくが、みなの話は、いまの薬価基準や医療保険の話題のほうに偏《かたよ》りがちになる。

そこで、気楽堂も彼等に話を合わせ、会がお開きになったところで、親しい仲間と連れだって二次会に行くことにする。

全部で五名なので、近くのバーに行き、適当に向かい合って坐る。

ここは学生時代からあった店だが、かなり大きくなり、内装も豪華になったようである。

「このカウンターに、まきちゃんという可愛い子がいたけど」

北村がいうと、みな、「いた、いた……」とうなずく。

「結局、誰が口説きおとしたのだ」

「一期上の、高沢さんだろう」

「そうだったかな」

卒業して四十年以上経って、そのあたりのことも曖昧になっているようである。

「ところで、みな、体は大丈夫か」

気楽堂がきくのに、四人は一応うなずくが、森下が、「最近、老眼がすすんで……」といい、北村が、「血圧が少し高くて……」とつぶやき、江口が、「腰が痛くて、おまえのところに行こうかと思っていた」と気楽堂に訴える。

とにかく、その程度なら大丈夫だと、気楽堂は安心する。

そのまま飲んでいると、突然、北村が喋《しゃべ》りだす。

「七十歳を過ぎると、それなりに体が弱るのは仕方がない。だいたい、人間の体は七十五、六歳まではもつようにつくられているけど」

以前、地方の医科大学の教授をしていただけに、学生に教えるような口調でいう。

「七十五歳から、後期高齢者医療保険の被保険者になるが、あれはまさしく正しい分類だな」

みな、それまでにはまだ二、三年の余裕はあるが、いささかしらけてしまう。

そこで元気をつけるように、森下と江口は水割りを追加し、気楽堂は赤ワインを頼む。

「とにかく、その頃から、やたら病院にかかり、医療費がふくらむからな」

北村のいうことはたしかにわかるが、気楽堂はそんな話はどうでもいい。

それより、みんな下半身のほうはどうなのか。ペニスはいまも勃起するのか、それをきいてみたい。

気楽堂は赤ワインを一口飲んでから、なに気なくたずねてみる。

「ところで、みな、彼女はいないのか?」

瞬間、森下と江口はきょとんとした顔をしたが、少し間をおいて北村がきき返す。

「おまえ、いるのか?」

「ああ……」

気楽堂が素直にうなずくと、石原が、「そうか、おまえは奥さんがいないんだったな」という。

「うん、そうだけど」

そのまま短い沈黙があってから、森下が、「でも……」とつぶやいて、

「俺たちの年齢《とし》で、彼女がいる奴《やつ》なんか、いるのかな」

瞬間、互いに顔を見合わせて黙りこむが、やがて北村が一つ空咳《からせき》をして、

「いや、いる奴はいるだろう」

そのまま席が静まり返ったので、気楽堂は思いきってきいてみる。

「ところで、みな、あそこはどうなんだ」

「あそこって？」

石原が探るようにきき返すのに、気楽堂はゆっくりうなずいて、

「きまってるだろう、ペニスさ」

瞬間、みな、「うへっ……」といった表情になり、目を伏せる。

どうやら、誰も、そんな話になるとは思っていなかったようである。

みな同期で、なんの遠慮もいらない仲間である。

それだけに思いきってきいてみたが、誰一人、なにもいわない。

思いがけない質問に戸惑っているのか。それとも、もっともきかれたくないことをきかれて、口をつぐんでしまったのか。

だが、気楽堂はかまわず、切りこんでいく。

「おまえ、どうだ」

まず、右手にいる森下にきいてみる。

「うん……」

困ったように森下はうなずき、「まあな」とつぶやく。

これでは、返事になっていない。

そこで、今度は北村にきいてみる。

「おまえは……」

元医科大学教授だから、多少、面白い返事をしてくれるかと思ったが、かすかに苦笑いしてつぶやく。

「もう、年齢《とし》だからな」

ということは、駄目だということか、それとも可能だということか。はっきり答えて欲しいが、そのまま黙りこむ。

今度は江口にきいてみる。

「おまえは？」

瞬間、江口は手に持っていたハイボールを飲み干してから、きっぱりという。

「そんなこと、どうでもいいだろう」

「いや……」

気楽堂は即座に首を横に振る。

「どうでもいいことではない」

間違いなく、気楽堂にとっては重大な問題である。

正直いって、それを知ったときは、自分の男としてのプライドを根こそぎ奪われたような衝撃だった。

「やっぱり、あれは……」

気楽堂がいいかけたとき、江口が逆にきいてくる。

「できなくなったのか？」

「俺は……」

気楽堂は正直にいうことにした。

「今年だけど、少し前から、駄目になった」

瞬間、みなが、「おうっ」というように目を見張るのに、気楽堂は改めて正直にいう。

「だから、いまはまったくできない。セックスはあきらめた」

気楽堂自ら、不能になったことを正直に告げたので、みな、少し気が楽になったようである。

そこで、石原がつぶやくようにいう。

「実は、俺もだ……」

それをきいて、森下も江口もかすかにうなずいた。

「でも、はっきりいって、あそこが勃《た》たねば困る、ということでもないからな」

石原が、「そうだろう」というようにみなの顔を見る。

「だって、女といってもワイフだけだし、いまさら、ワイフにそんな気になっても……」

セックスする気になれない、といいたいようだが、その気持ちは気楽堂にもわかる。

たしかに七十歳をこえて、夫婦で愛し合っているカップルは、あまりいないかもしれない。

「おまえは……」というように江口を見ると、彼も、そうだというようにうなずく。

「待てよ」

気楽堂は思い出して江口にきいてみる。

「おまえ、ウロじゃなかったか」

ウロというのは、ウロロジイの略で、泌尿器科のことである。

彼はこれまでも、そしていまも、泌尿器科の専門医のはずである。

「ウロでは、インポテンツはあつかわないのか」

江口はゆっくりと首を横に振って、

「あつかわないよ、あれは病気ではないからな」

「でも、バイアグラはあつかっているだろう」

「しかし、完全なインポテンツにはなにも……」

年齢《とし》をとりすぎて不能になったのは仕方がない、といいたいようだが、これはこれで本人にとっては病気以上に深刻な問題である。

「平均して、だいたい、いつ頃からインポテンツになるのか、研究した資料はないのかな」

「ないな」

江口は素気なく首を横に振る。

「でも、調べるべきじゃないか」

気楽堂は思いきってすすめてみる。

「インポは、高齢男子なら、みな気にしていることだ。インポテンツの一般的な発生年齢、そしてその対策など、これはこれで重要な問題だと思うけど」

不能になる時期やその対策について、泌尿器科でも本格的に研究すべきだ、という気楽堂の意見に、みな黙りこむ。

どうやら彼等にとって、そんなことはあまり関係ない、ことのようである。

でも、不能になったときは、みな、それなりにショックを受けたはずである。他人にこそいわなくても心細く、不安になったはずである。

「俺はショックだった」

気楽堂は正直にいう。

「これで、男ではなくなったのだ、と思った」

そこまでいうと、北村がかすかにうなずく。

「いや、それはそうだよ」

「おまえは、いつ、わかったのだ」

気楽堂がきくと、北村は少し考える表情になって、

「去年かな……」

そこで石原に視線を移すと、

「その頃だな」

さらに森下も、ゆっくりとうなずく。

どうやらみな、この一、二年のあいだにインポテンツになったようである。

いや、本当はもう少しずれているのかもしれないが、気楽堂がはっきりいったので、みなそれに合わせているのかもしれない。

「とにかく俺はショックで、いろいろな女にためしてみた」

「そんなに、女がいるのか」

気楽堂の言葉を石原が茶化して、座に笑いが広がる。

「まあ、ワイフがいないのでね」

「そりゃ、大変だ」

森下がおどけていって、きき返す。

「それで……」

「誰と試みても、駄目だった」

瞬間、石原が「そうだろう」というようにうなずく。

「たしかに、駄目となったら駄目だな」

どうやら、石原は不能になってからも、少し頑張ってみたことがあるのかもしれない。

「しかし、そのことで診察を受けにくる患者は、いないんだな」

気楽堂がきくと、江口がゆっくりうなずいて、

「それだけでは、病院には来ない」

「医者になら、相談したって恥ずかしくないと思うけど」

「でも、無駄だとわかってるから」

江口が患者にかわって答えるが、本当にそうなのだろうか。

気楽堂は、江口がいう患者の気持ちに疑問がある。

たしかに不能になったとき、医者のところに行っても仕方がない、と思う男は多いだろう。これは年齢《とし》をとって訪れたものだから、治しようがない。そう思うのも無理はないかもしれない。

しかし、そのなかには、バイアグラや、その他の精力剤を服《の》んでいた男たちもいるはずである。

彼等が、他になにかいい薬でもないものか、さらには、この状態を改善する方法はないかと、相談に来ることはないのだろうか。

「でも、自分の年齢を考えると、もう仕方がない、と思うのかも」

たしかに、江口のいうことは当たっているかもしれない。

これがもし六十代なら、不能になっても、いやまだまだとあきらめない。いま少し頑張りたいと欲を出す。

しかし七十歳をこえると、もはや駄目だとあきらめてしまう。

たしかに、年齢的なものは大きいかもしれない。

実際、気楽堂も六十代だったら、こんな簡単にあきらめなかったかもしれない。

事実、その頃はバイアグラを服んで元気をとり戻した。

しかし七十代になったいまは、もはや仕方がない、とあきらめている。これ以上、あがいても無駄だと、自分にいいきかせている。

そして、ここにいる同期の仲間も、みな同じように思いこんでいるようである。

「そうか……」

気楽堂は改めて、ゆっくりうなずく。

とにかく、みんな、ほぼ同じ頃に駄目になっていくらしい。

そこまでは、いま、素直に納得できる。

「でも……」と、気楽堂は思わず声に出し、みなが「どうした?」というように目を見張る。

それに対して気楽堂はきっぱりとつぶやく。

「女は、あきらめたくないな」

「……」

「あそこが、駄目になってもさ」

こんなことはとてもいえることではないが、まわりが同期の仲間だけに、気楽堂は正直に白状する。

股間のものが駄目になっても、女性をあきらめずにすむ方法でも、あるのだろうか。

みな、興味を抱いたらしく、気楽堂に注目する。

そのなかで、気楽堂は一つうなずいて、話しだす。

「それでも、女を、快《よ》くしてやることはできる」

瞬間、みな「えっ」というように顔を上げる。

たしかに不能で、問題の個所がいうことをきかないのに、女性を快くすることなぞできるのか。みなが不思議に思うのは無理もない。

そこで、気楽堂は思いきって説明する。

「俺たちは、ペニスにこだわりすぎていた」

「…………」

「でも、女性の悦《よろこ》びはそれだけではない」

では、なにがあるのだと、みな不思議そうな顔をする。

「あれが駄目でも、指であそこを刺戟したり……」

これ以上、説明すると具体的になりすぎるので、気楽堂は切り上げる。

「とにかく勃たなくても、女性を悦ばすことはできる」

みなは、きいているのかいないのか。いや、きいていることはたしかだが、それなりに考えこんでいるようである。

そこで、気楽堂は改めてみなに、いってやる。

「やる気になれば、できる」

瞬間、北村がゆっくり顔を上げて、

「それはわかるけど、それでは女を快くするだけだろう」

「仕方ない、あそこがいうことをきかないのだから」

「それで、いいのか？」

気楽堂がうなずくと、北村がいやいやをするように、ゆっくり首を横に振る。

「俺はそこまでできないかも……」

では、森下はどんなふうに考えているのか、気楽堂が視線を向けると、彼が説明する。

「俺なら、インポテンツになったことを正直に彼女にいっておく」

その点には、みな関心があるのか、なにもいわず森下を見詰めている。

「恥ずかしいけど、仕方がない」

「…………」

「あそこが駄目になったのだから、いままでのようなセックスはできない。でも接吻とか、愛撫はできるだろう」

まさしく、そのとおりである。思わず気楽堂がうなずくと、森下はみなを見渡して、

「彼女を安心させ、少しなら快《よ》くしてやることもできる」

「そのとおり」といいたいのを、気楽堂がおさえていると、

「でも、男のほうはなにも快くない。彼女にしてやるだけで……」

「いや……」

思わず、気楽堂は首を横に振る。

「それで、いいじゃないか」

「いいって？」

森下がきき返すのに、気楽堂はきっぱりうなずく。

「彼女が満足なら、いいだろう」

「待て……」

今度は、森下がゆっくりと首を横に振る。

「それでは、男はどうするのだ」

「…………」

「男は、女を快くするだけ、それでは男が可哀想だろう」

このあたりから、森下と自分とでは考え方が分かれる。

不能でも、女性を心地よくすることはできる。そこまでは意見が合ったようだが、それによって快くなるのは女性だけで、男は辛すぎる。

それでは不満だというのが、森下の意見のようである。

「どう思う？」

森下がきくが、他の三人はまだきょとんと不思議そうな顔をしている。

どうやらこの三人は、そこまで深く考えたことはなかったようである。

インポテンツになっても、その事実だけにとらわれて、そこから先まで考える余裕はなかったのかもしれない。

それにしても、みな医師だが、さまざまな意見があるのが面白い。

まず四人とも、現在、インポテンツになっていることは間違いない。

しかし、それに対する考え方が四者別々というか、四人で少しずつ違っている。

まず北村は、インポテンツは高齢という年齢《とし》によって、自然に訪れてきたことだから、そのまま素直に受け入れるべきだという考えのようである。

むろん、その事実に逆らい、薬や注射などつかうべきではない。また、そんなことをしても、すべて無駄だとわり切っている。

これに対して、石原はインポテンツという事実は受けとめ、仕方がないとは思っているが、いまひとつ納得しかねている。

江口は、なぜいま、この時期にインポテンツが訪れ、今後この状態がどうなるのか、真剣に考えたことはないようである。

さらにいま一人、森下はインポテンツになっても、女性のことを完全にあきらめるのは口惜《くや》しく、残念だと思っていた。

実際、そうだから、このような状態になっても、どうしたら女性と接することができるのか考えたことはあるらしい。

だが、それらはすべて、女性だけを一方的に快《よ》くするだけで、男性自身はまったく快くならない。一方通行の関係しか成り立たないと知って切り捨てた、というより、あきらめたというのが本音らしい。

そしていま一人、気楽堂はインポテンツになっても女性を快くして、悦《よろこ》ばせることはできると信じているし、事実、そのとおりやっている。

その点では、森下に近いが、それがつまらないとは思っていない。

それより、インポテンツになっても女性を悦ばせ、自分の掌中にしっかりとらえておける。

そのことに満足し、それを信じて疑わない。

まさしく、五者五様であるところが、気楽堂には面白く興味がある。

たしかにここから先は、人によって考え方も、やることも違ってくるかもしれない。

実際、ある男は、もう女を追いかけたところで無駄だと考え、一人の世界に閉じこもるかもしれない。

また他の男は、なお女をあきらめきれず、妄想だけたくましくして、あれこれ空想の世界を遊び続けるかもしれない。

そして他の男は、きれいさっぱり女はあきらめ、自らの老いを受け入れ、それに馴染むように努めるかもしれない。

このあたりは、人によってさまざまだろうが、気楽堂のように、女性を心地よくすることだけに満足する男は、ほとんどいない。

それは、いまみなに話したときの、彼等の反応からも明確である。

いずれにせよ、気楽堂のように、これがチャンスというように、一段と女性を追いかけ、求めている男はいないようである。

「とにかく、おまえは立派だよ」

北村が改めて気楽堂を見て、きっぱりという。

「すごいよ」

「そんな……」

気楽堂が慌てて首を横に振ると、

「ここまできても、女をあきらめていない」

実際、そのとおりなので、答えようもなく黙っていると、

「そのまま、どこまでも追いかけろ」

突き放されたのかと思うと、彼は大きくうなずいて、

「俺は応援する」

そこで、「ありがとう」といいかけると、彼は他の三人を見て、

「なぁ、すごいよな」

北村の一声に、みな無言のままうなずいて、気楽堂を見る。

「おい、ここで、乾杯することにしよう」

北村はさらに、自らのグラスを突き出して、

「こいつのために……」

そういってから、慌てて「いやいや」と首を横に振って、いい直す。

「こいつの、女好きに、乾杯」

瞬間、全員がグラスを突き出して、一気に飲み干してから、みなが手を叩く。

「頑張れよ」

なにやら、妙な会になったが、気楽堂は改めて同級生の優しさに感動する。

それから一時間で、会はおひらきになったが、気楽堂にとっては心地よい会であった。

古い仲間が、もっとも話しづらいインポテンツについて正直に話し合い、さまざまな気持ちを語り合ってくれた。

もちろん、それらは人によっていろいろ違いがあったが、最後は気楽堂の考えを認めてくれ

た。

正直いって、気楽堂はいま、自分がしていることを白状するのは恥ずかしかったし、みなに認めてもらえるか、自信もなかった。

しかし意外にみなあっさり納得してくれて、乾杯までしてくれた。

こんな、親しい会が他にあるだろうか。

互いに、不能になったときのことを語り合い、それをどう思い、どう対処しようとしているのか。そこまで、率直に話し合う会など、あるはずもない。

まさしく、若いときから親しかった同級生同士だから、できたことである。

気楽堂は改めて、仲間の顔を思い返して、ゆっくりうなずく。

石原も北村も森下も江口も、みな、この数年で不能になったようである。

この、ほぼ同時期に、できなくなったということが、なにか嬉しいというか、共感できる。

もしあそこに一人くらい、「俺はまだまだできる」などというのがいたら、しらけてしまったかもしれない。

しかし、そんな抜けがけをする者がいなかったので、嬉しいというか、安心することができた。

不能という事実は、みなほぼ同じ年頃に訪れてくる、ということがわかっただけで、なにか安心というか、納得することができた。

しかし、その受け入れ方は人によってさまざまというか、多彩である。

仕方がないと素直に受け入れるか、いや、まだまだと逆らうか、勝手にしろ、と開き直るか。

さらには、そこから新しく女を求め、愛していくか。

それも、あそこになぞ頼らず、言葉で、手で、そして全身で、女を満足させてやる。

その方法を、みな受け入れてくれるか否かは別として、納得してくれたようである。

「俺は、絶対、俺のやり方でいく」

気楽堂は改めて、自分で自分に向かっていいきかせる。

第十二章　京への旅

秋の訪れとともに、日が急速に短くなっていく。

これまでなら、午後六時といっても、まだかすかに明るさが残っていたのに、いまでは五時を過ぎるととっぷり暮れている。

しかし気楽堂医院は相変わらず忙しくて、平日は休む暇もない。

そこで十一月半ばの週末に、有賀弁護士に、京都へ行こうと誘ってみると、あっさり受け入れてくれた。

もしかすると、彼女も少し東京を離れてみたかったのかもしれない。

「そろそろ、紅葉もいいかと思って」というと、「嬉しいわ」と、明るく答えてくれる。

この頃、彼女は自分の気持ちを正直に表すようになってきたようである。

それだけ気楽堂に馴染んできたということか。そんな彼女が気楽堂はさらに愛しくなる。

そのまま約束どおり、土曜日、お昼前の新幹線で京都に向かう。

今日の彼女は白いタートルネックのセーターに同じく白のタイトスカート。さらにベージュのカシミヤのコートを着て、お洒落《しゃれ》で暖かそうである。

予定どおり、午後一時に京都に着いたが、気楽堂はまず、東山に近いホテルに直行する。

このホテルからなら、窓を覗いただけで東山の紅葉を見渡すことができる。

それを堪能したところで、気楽堂は有賀弁護士を誘ってみる。

「今日、是非行ってみたいお寺があって、付き合って下さい」

気楽堂は改めて、彼女が出かける準備ができるのを待って、ホテルの前からタクシーを拾う。

「どこへ、行かれるのですか」

「双ケ丘《ならびがおか》です」

そういわれても、彼女は方角がわからないようである。

「こちらと逆の、西の方向なのですが、法金剛院《ほうこんごういん》というお寺があるのです、そこへ行ってみようかと思って……」

この紅葉の季節は、京のお寺はみなそれぞれに紅葉が美しいはずである。

それなのに、なぜ、そんなところへ行くのかと、彼女は思っているようである。

そこで、気楽堂は説明することにする。

「鳥羽《とば》天皇にすごく愛された、待賢門院《たいけんもんいん》さまが住まわれていたお寺なのです」

有賀弁護士は、これから行くお寺に興味をもちはじめたのか。

「前に、そのお寺に行かれたことがあるのですか」

「ええ、春の桜のときに行きました。大きなお寺ではないのですが、池の前面に八重桜と紅枝《べにし》垂桜《だれざくら》が咲いていて、それはそれは見事でした」

「じゃあ、いまはそこに紅葉が……」

「秋はまだ行ったことがないので」

「でも……」

改めて、有賀弁護士が気楽堂を見詰める。

「そのお寺に、どうして、惹《ひ》かれたのですか」

「実は……」

そこはぜひ説明したいところであった。

「鳥羽天皇の中宮だった待賢門院璋子《たまこ》という人が、これから行く双ヶ丘のお寺を復興されて、法金剛院とされたのです。それ以来、素晴らしいお寺となって……」

気楽堂はさらに説明をくわえる。

「昔は、この西の方が京都らしい風情をもった山が多くて、貴族たちが競って山荘をつくったようです」

気楽堂は説明するために持ってきたメモ用紙を取り出す。

「待賢門院が建立された頃は、末法思想が盛んな時代で、このようなときに、阿弥陀仏《あみだぶつ》を祀《まつ》り、信心をすれば、死後は極楽に迎えられるということで……」

瞬間、彼女はゆっくりうなずいて、

「それ、なにかで、お読みになったのですか」

いきなりきかれて、気楽堂は正直に答える。

「実は、最近、小説で読んだのです。それで、すごく感動して……」

有賀弁護士は納得したのか、大きくうなずいて、

「是非、行ってみたいわ」

待賢門院が本当に愛されたのは鳥羽天皇ではなく、その祖父の白河《しらかわ》法皇で、その愛され方は尋常ではなかった。

それは今夜、部屋で落ち着いてからたっぷり教えてやりたい。

白河法皇の待賢門院への愛着は、いまの自分の有賀弁護士への気持ちに近いかもと、気楽堂は思う。

週末で道が混《こ》んでいたせいもあって双ヶ丘の法金剛院に着いたのは、やや陽が翳《かげ》りはじめた、午後三時過ぎだった。

正門といっても、小さな門があるだけで、希望者は自由に入ることができる。

そこを通り抜けると、すぐ正面に本堂があり、まずそこに祀られている、本尊・阿弥陀如来坐《ざ》像《ぞう》と十一面観音菩薩《ぼさつ》坐像などを拝んでから、庭に出る。

「きれい……」

早速、有賀弁護士は紅葉の樹《き》に近づき見上げている。本堂の壁が白いせいか、木の葉の真紅が一層きわだって見える。

そのまま、紅葉に惹きつけられてすすむと、左手に池が見える。

「ほら、池に紅葉が映っているわ」

有賀弁護士は池の紅葉を眺めながら、地上の紅葉と見比べている。

「素敵なところね」

どうやら、満足してもらえたようである。

気楽堂は納得して、左手の森の方を指さす。

「あの奥に、滝もあったようです」

「えっ、平安時代にですか」

たしかに電動力もない時代に、水を引き上げることは大変だったと思うが、いまも滝口が残っている。

「静かで素敵だわ」

有賀弁護士は、両手を広げて秋の大気を吸い、池をつつむ紅葉を眺めている。

どうやら、ここに連れてきたのは正解だったようである。他のお寺なら、この季節は観光客がうごめいて騒々《そうぞう》しいが、ここは西の京の古寺だけに、他の観光客の姿もほとんど見当たらない。

「ここは、本来、白河法皇さまがお持ちになっていたのです」

「それを、中宮さまにお渡しになったのですか」

「そうです、ここに住まわれるように、とね。そうだ、待賢門院さまの姿を、ごらんになりますか？」

「えっ、見られるのですか」

「ちょっと頼んでみます」

一般には公開されていないが、気楽堂は、春の桜のときにも来て見せてもらっているので、院主《いんじゅ》さまに頼めばなんとかなるかもしれない。

気楽堂は、有賀弁護士の片手を握ったまま池をめぐって本堂へ行く。

法金剛院の院主さまは、気楽堂のことを覚えていてくれたのか、熱心に頼むと、なかに招き入れてくれて、待賢門院の画像を見せてくれた。

このお寺で待賢門院さまは永治《えいじ》二年（一一四二）二月末に落飾されたといわれているが、その直後の姿を描いたのであろうか。

全体に淡い空色の法衣《ほうえ》を着られ、頭から頰は白い頭巾《ずきん》でおおわれ、両手に数珠《じゅず》を持たれて、かすかに伏し目のまま坐られている。

このときはすでに白河法皇は亡く、待賢門院さまも四十代で、顔や眼許《めもと》に老いが現れてはいるが、なお気品のある美しさが保たれている。

「素敵でしょう」

気楽堂がいうと、有賀弁護士はゆっくりうなずき、「どこか、艶めいていらっしゃるわ」とつぶやく。

たしかにこの絵には、単なる美しさをこえて、かぎりない栄華の道を歩んできた女性の虚無まで、滲《にじ》んでいる。

「素晴らしいわ……」

有賀弁護士は、なお離れ難そうに見詰めているが、いつまでも見とれているわけにもいかない。

「じゃあ、そろそろ……」

気楽堂は改めて院主さまにお礼をいい、立ち上がる。

そこから部屋を出て庭に出ると、紅葉の樹木が池面に影を落としている。

「素敵なところだわ」

彼女は改めて、この寺の美しさを知ったようである。

「こんなところで、余生を送れたら素敵ね」

「実は彼女は、白河法皇の最愛の人だったのですけど、同時に天皇の中宮となり、さらに天皇の母親でもある、国母にまでなられたのです」

「でも、もともとは法皇さまの愛人でしょう。その方がどうして、天皇と結婚されたり、さらにその人の子供を産んだりできるのですか」

「それを強引に、いや、天皇たちをたぶらかして、彼女に栄華を与えようとしたのです」

「そんなことまで……」

彼女は呆気《あっけ》にとられているようである。

さらに法皇と待賢門院との恋を語りながら、双ヶ丘界隈《かいわい》のお寺を見て京の中心部に戻ると、すでに日が暮れて夕食どきであった。

気楽堂は四条《しじょう》の表通りから細長い小路を奥へ入った和食店「味舌」に有賀弁護士を案内する。

「こんな奥にお店があるのですね」

「昔は、表通りに面した広さで税金がかかったので、こんな店のつくりができたみたいで」

「面白いわ」

有賀弁護士は小路を振り返りながら、感心している。

小路の奥の店は、九席ほどのカウンター席があるだけだが、その奥の席に二人並んで坐る。

「ここへは、よくいらっしゃるのですか」

「ええ、京都に来たときは必ず」

料理はまず甘鯛《あまだい》から始まり、続いて信田《しのだ》巻きが出てくる。

気楽堂は熱燗《あつかん》を頼み、有賀弁護士にも注いでやる。

「わたし、駄目です」というが、今夜はいくら酔っても、一緒に寝《やす》むだけである。

「もう、逃げられないよ」

気楽堂が密かに思っていると、彼女がまったく別のことをきいてくる。

「でも、白河法皇さまは、待賢門院さまより、はるかにお年齢《とし》が上だったのでしょう」

「もちろんです」

気楽堂はまた熱燗を飲みこんでから、説明する。

「たしか、五十歳近く上のはずです」

「それで、どうしてお子さまなどを……」

「もちろん、そのときは、孫の鳥羽天皇が即位されていて、天皇ではなかったのです。でも二人で密会して、待賢門院さまを妊娠させたのです」

「そんなことが、できたのですか」

「そりゃ、法皇といっても、現実の天皇より、はるかに権力があったのですから」

呆れたのか、有賀弁護士は宙を見上げて溜息をつく。

「とにかく、好きとなったら、なんでもする。法皇の晩年は、璋子のためにあったようなものです」

気楽堂はそういいながら、「自分もです」といいたくなる。いまの気楽堂は、まさしく有賀弁護士をもっとも愛していて、できることなら、なんでもしてやりたい。

ホテルへ戻ると、大きな部屋にベッドが二つ並び、その各々に夜着が添えられている。もはやこのあとは、二人でベッドをともにするだけである。

だが気楽堂はここで改めて冷蔵庫からビールを取り出し、彼女にも注いでやると、「少しでいいです」といいながら、飲みはじめる。

やはり旅に出て、気持ちも大分リラックスしているのかもしれない。

「君と一緒に、ここまで来られて嬉しい」

それは気楽堂の偽らぬ実感だが、彼女も同様らしい。

「本当に、連れてきてもらってよかったわ」

たしかに、東京のレストランなどで食事をして、青山の自宅に行くのでは、これだけの解放感は味わえない。

そしてなによりも嬉しいことは、今夜はこのまま二人で、ともに明日まで一緒にいられることである。

「一度、酔ってみて欲しいな」

「そんな、わたしはこれ以上飲めません」

彼女は首を横に振るが、目の縁はすでにほんのりと赤い。

こんなとき、あの秘めやかな乳房や、お臀のふくらみはどんなになっているのか。

気楽堂は想像するが、それはあとのお楽しみである。

「お風呂へは？」

「わたしはあとで、ゆっくり入らせていただきます」

仕方なく気楽堂は立ち上がり先に入ることにする。

浴槽につかり、軽く汗を流すが、三十分とかからない。

そのまま浴衣《ゆかた》を着て部屋へ戻ると、彼女が鏡台の前に坐っている。

「どうぞ、入ってきて下さい」

お風呂をすすめると、彼女はあっさり浴室に消える。

これから彼女はバスルームで全裸になって、お湯を浴びるのだろう。当たりまえのことを想像しながら、考えていると、なにか全身がむずむずしてくる。

「もしかして、あそこが……」

と思って股間に触れてみるが、そこはなにごともなかったように静まり返っている。

「わかっている」

誰にともなくうなずいて、気楽堂はバスルームの方へ耳を傾ける。

彼女がバスルームから出てきたのは、それから小一時間あとだった。

長湯のタイプなのか「遅くなってごめんなさい」と謝る。

化粧も落としたせいか、顔を伏せたまま手前のベッドの端に近づくが、浴衣姿が艶めかしい。

そのまま一人で手前のベッドに行きかけたので、気楽堂が呼びかける。

「こっちに来て……」

戸惑って立ち止まっているのを、気楽堂は一気に引き寄せて囁く。

「嬉しい……」

正直いって、京都で風呂上がりの彼女を抱けるなど、思ってもいなかった。

そのまま抱き締めていると、肌の温もりが伝わってくる。

彼女も浴衣のまま抱き締められて、新鮮な感覚にとらわれたのかもしれない。

気楽堂の求めるままぴたと寄り添い、身動きひとつしない。

浴衣のまま、抱き合っているのも悪くはない。

襟元が合わせられているが、左右に分けやすい。

その危うさに好奇心をそそられたように、気楽堂はまず彼女の浴衣の肩口に右手をかけ、ゆっくりと下ろしてやる。

途端に肩の先がするりと現れて、白い肌が露出する。

瞬間、彼女が慌てたように身をよじるが、すでに現れた肩口は隠しようがない。

とにかく、このままでは、恥ずかしさをかきたてるだけである。

だからベッドに行こう、というように、気楽堂は彼女を抱き締めたまま自分のベッドへ誘い、ともに崩れるようになだれこむ。

「よし……」

ここまできたら、もはや全裸になるのも時間の問題である。

だがここでも、気楽堂は焦らない。

黙っていても前がはだけ、胸元まで開くのは止められない。

そしていま、なによりも伝えたいのは、彼女を愛している、ということである。

「俺、ぜったい、君が好きだよ」

そう、言葉で表せば簡単なことだが、それを躰《からだ》で訴えたい。

さらにさらに、優しく抱き締めることで伝えたい。

とくに脱がせようとしたわけではないが、彼女の浴衣の前は、かなりはだけている。

それならいっそ、腰帯を解いて楽にしてやったほうが落ち着くかもしれない。

気楽堂は浴衣の前を開き、両の肩から取り除いてやる。

瞬間、彼女は慌てたようだが、大丈夫だよ、というように再び抱き締め、改めて肩から背をゆっくり撫《な》ぜてやる。

いま彼女が身につけているのは、白いブラジャーとパンティだけである。

それから数分もせずに、気楽堂はブラジャーのフックを外し、乳房が出たところで軽く口にふくむ。

瞬間、彼女はくすぐったそうに身をよじるが、かまわず唇を重ねる。

さらに、彼女が小さく声を洩らすが、気楽堂はかまわず舌で乳首を愛撫したまま、ゆっくりパンティを下ろしていく。

ここまで、すべて気楽堂が予定したとおりの行動で、その都度、彼女は逆らうが、完全に拒否しているわけでもない。

あの、かたくなだった有賀弁護士をここまで慣らしたのは、まさしく気楽堂の根気と努力の結果である。

やがてパンティも下ろされ、彼女はまさしく全裸になる。

いつも感じることだが、ほっそりとしているのに、柔らかく温かい肌である。

これこそ、女の躰だと納得しながら、気楽堂は改めて背から腰へ愛撫の手をすすめながら、右手を股間へと近づける。

もはや逆らうものはなにもないが、気楽堂は焦らない。

秘所に触れるがごとく、触れざるがごとく、求めるがごとく求めざるがごとく、右から左へ、そして左から右へ、指先だけがゆっくりさまよう。

それをくり返すうちに、彼女が「あっ……」とつぶやき、軽く首を横に振る。執拗な愛撫に耐えきれなくなったようだが、気楽堂はなお気づかぬように、指の動きだけをくり返す。

肝腎の局所は眠ったまま動きだすことがないのだから、それにわずらわされたり、早まることなどありえない。

それだけに、もし、いまの愛撫をかぎりなく続けよ、といわれたら、そのとおり、いつまでも続けることができる。

ゆっくり上下に、そして左右に撫《な》ぜたあと、ふと思い出したように、中指の指先を上に向けて、膣のなかに挿入する。

そう、ここは女性器のなかでも、もっとも感じるクリトリスの頂点である。

そこを初めは左右に、それから前後にゆっくり動かしながら、ときに一段深くさしこんでやる。

いまや彼女は、その指の動きに翻弄《ほんろう》されているようである。

指先を手前に引くと、「ああん」と甘え、左右に揺らすと首をのけ反らせ、一段深くおしこむと、「だめ……」と訴える。

もはや、彼女を生かすも殺すも意のままである。

だが気楽堂はなおしばらく、女体をかきたてて悦《よろこ》ばせたい。

そこで、彼女の股間を自分の両脚でつつみこみ、もはや逃れられぬように固定して、いま一度、中指をクリトリスの真上に固定する。

そのままゆっくり撫ぜつけると、彼女は「ねえ……」とつぶやき、「ああっ」と叫ぶ。

だが、気楽堂は愛撫の手をゆるめない。

クリトリスに触れている中指をさらに前後に動かし、ゆっくり左右に揺らしてやると、いよいよ、有賀弁護士は断末魔にさしかかったのか。

激しく首を左右に振り、もはや耐えきれぬとばかり、「だめっ」と叫ぶと、そのまま頭を左右に振り乱して気楽堂にしがみついてくる。

そんな彼女を、気楽堂は正面から抱き締めるとともに、自らの左の大腿部《だいたいぶ》を彼女の股間にさしこみ、もう一方の大腿部を上から重ねてつつみこんでやる。

そのまま気楽堂は彼女の震え続ける上体を抱き締めたまま、微動だにしない。

まさしくいま、頂点まで昇りつめた快感が、彼女の全身を貫いているに違いない。

このまま、この悦びをたっぷり味わうといい。

いま、気楽堂の腕のなかにあるのは、聡明な女性弁護士でも、仕事のできる冷静な女史でもない。

ただ恋に溺《おぼ》れ、悦びに全身を震わせている女、そのものである。

そして、そんな女を抱き締めていることに気楽堂は満足し、全身で納得しきっている。

そのまま、さらに数分から十分も経ったろうか。

気楽堂が、彼女の背から腰に当てた手をゆるめると、慌てたように、彼女がさらにしがみついてくる。

まだ、このまま抱き締めていて欲しい、と訴えているようでもある。

むろん、それに気楽堂は賛成である。

一旦、ゆるめた手を背と腰に当てると、再び彼女がひたと寄り添ってくる。

まだまだ、彼女は全身、愛に溺れた女でいたいようである。

それをたしかめ、納得したところで、気楽堂はそっと彼女を抱き寄せる。

それにしても、愛しい女性である。

殿村夫人も、千裕も、それぞれに愛しかったが、いまや、それに勝るとも劣らない。

不能になった自分に、これほどしがみつき、離れる気配はまったくない。

自分を完全な男としてとらえ、全身をゆだねていることは間違いない。

彼女が果ててから十分か、いや、それ以上経ったかもしれない。

気楽堂はこのまま眠ってもかまわない。

だが眠るには、彼女の股間を両脚ではさみこんでいる姿勢が、少し窮屈である。

そこで気楽堂は両脚をゆるめて彼女を離し、改めて向かい合って軽く抱き寄せる。

言葉ではいわぬが、まだまだこうして休んでいよう、という合図である。

それを察知したように、彼女は再び上体を寄せてくるが、ふと気がついたようにつぶやく。

「ごめんなさい」

もちろん、謝る必要なぞなにもない。

ただ、あまりに心地よく、甘えすぎたことを恥じているようでもある。

気楽堂は軽く首を左右に振って、「素晴らしかったよ」と囁く。

瞬間、彼女は恥ずかしくなったのか、気楽堂の胸に顔をうずめるが、やがて少し間をおいてつぶやく。

「あなたは……」

どうやら、気楽堂がなにも乱れず、淡々としていることを気にしているようである。

「いや……」

気楽堂はかすかに首を横に振り、「よかったよ」とつぶやく。

たしかにいま、気楽堂は挿入していなかったが、充分、気持ちは満たされている。

それだけは、わかって欲しい。

「でも……」と、なにかききたいのかもしれないが、彼女は黙っている。

これ以上、きいてはいけないと思っているのか、それとも彼女なりに考えているのか。

そう、自分は不能である。だからこれからも挿入はしないが、熱く燃えてくれた彼女を見て満足である。

それに、あそこまで彼女に愛撫を重ね、懸命に努めたことで、それなりの心地よい疲れも感じている。

そこまではっきりいえば、あるいはわかってもらえるのかもしれないが、できることなら、いわずにおきたい。

言葉には出さなくても、そのあたりはわかって欲しい。

改めて胸元を見ると、相変わらず有賀弁護士の全身はすっぽりと、気楽堂の腕のなかにとりこまれている。

全身をあずける、とはまさしくこのことかもしれない。

「可愛い」

気楽堂は思わずつぶやきたくなる。

これだけ自分を信頼し、全身をあずけきってくれる女性は、そういるものではない。

「それなら……」

気楽堂のなかに、ふと、別の欲望がわきおこる。

「あそこに、接吻をしてやろうかな」

それは、いままでの愛撫とは別に、ふと芽生えた思いにすぎない。

だが、一度、思いつくと、無性にしてやりたくなる。

そんなことをしたら、彼女はそれこそ驚き、慌てるに違いない。

「そんな恥ずかしいこと、絶対にいや」と逆らうに違いない。

いや、するなどというから、逆らうのである。

こういうときは、黙ってやればいいのだ。

「とにかく、やるならいまだ」

気楽堂は自らをけしかけ、改めて彼女を抱き寄せ、顔を胸元におしつける。

彼女はまだ、なにをされるか、気がついていない。

その隙《すき》に乗じてさらに頭を下げ、彼女の胸からお腹に触れたところで、一気に股間に接近する。

「ねぇ、どうしたの」

彼女はようやく、異常を察知したようである。

下半身を退《ひ》こうとするのを、かまわず両手でしかととらえ、股間に顔をおしこんでいく。

「あっ、だめよ」

だめなことはわかっている。

でも、だめなことだから、したいのである。

「なにをするの……」

さらに逃げようとするのを、気楽堂はかまわず彼女の股間に顔をおしこみ、自らの唇を愛しい秘所に密着する。

「ここだ……」

ようやく届いた。そしてここまできたら、もはや離しはしない。

そのまま唇を揺らすと、「ああっ……」と、悲鳴とも悦《よろこ》びともつかぬ声が洩れてくる。

いま、気楽堂の眼の前には、彼女の股間が半ば開かれ、そのもっとも鋭敏なクリトリスの上を気楽堂の唇がしかとおおっている。

もう、どう逆らおうとも、この唇が秘所から離れることはない。

いや、事態は少し変わったようである。彼女の股間が逃げ出す気配はなさそうである。

いままでは懸命に、なにがなんでも逃げ出そうとしていたのに、いまはそんな逆らう力はまったくないのか。

それどころか、もはや完全に征服されたように、こちらにあずけている。

もう、どうなってもいい、好きなようにして下さい、といっているようでもある。

「それなら……」と、気楽堂はさらに股間を開き、クリトリスのふくらみに自らの舌を重ねて、ゆっくり左右に揺らしてやる。

まさしく、ここが女体の悦びのすべてが集中している女の秘所である。

その秘密の園を熱い舌でつつみ、すべてを吸いとるように舐《な》めてやる。

この世で、こんな素敵な愛を満喫している男がいるだろうか。

いや、いるわけがない。

「俺はいま、もっとも素敵な女性弁護士の股間を、すべての愛をかけて舐めている」

そう思った瞬間、彼女が「ああっ……」と叫び、いきなり股間を突き上げてくる。

「どうしたのか」

いや、たまらず果てたに違いない。

気楽堂は慌てて顔を上げ、そのまま一気に彼女を抱き寄せる。

「ねぇ……」

彼女はなお、うわ言のようにつぶやき、全身を震わせている。

そんな彼女をさらに抱き締めたまま、耳許に囁いてやる。

「好きだよ……」

それだけでは足りなくて、さらにつぶやく。

「愛している」

そうでなければ、こんなことはしない。

気楽堂は自分で自分にいいきかせる。

それにしても、有賀弁護士は驚いたようである。

まさか、あそこまで求められるとは、思っていなかったようである。

もちろん、抱かれて、秘所を愛撫されることくらいは、覚悟していたに違いない。

しかし、そこを充分快《よ》くされたうえ、股間にまで接吻をされるとは。

しかも、それで自らがさらに激しくゆき果てるとは。

あまりの恥ずかしさに、多分、自分で自分がわからなくなったに違いない。

いや、そのことなら気楽堂自身も同様である。

いまさらいうのは、おかしいかもしれないが、気楽堂自身、どうして、あんなことまでしたのか、自分でもよくわからない。

ただ一度、彼女を快くして、さらに抱き締めているうちに、股間の奥まで欲しくなってしまった。

自分の唇と舌で、すべてをおおうというか、占拠したくなってしまった。

そう、俺はいま、彼女のすべてを奪い、犯してしまったのだ。

気楽堂は密かにうなずきながら、秘所への接吻は、まだ他の女性には、誰にもしていなかったことに気がつく。

殿村夫人にはもちろん、千裕にも。

「どうして……」

それは、改めて考えるまでもない。

正直いって、殿村夫人には、そんな気にならなかったが、それはもしかして、夫がいると思ったからか。

むろん、いまもご主人と関係しているとは思えないが、やはり彼女の秘所は誰かに奪われたことがある、と思ったせいか。

そして千裕とは、はっきりしないが、彼女も、これまで何人かの男性と関係してきているからか。

しかし、有賀弁護士はまったくの初めてである。彼女が処女か否かはともかく、清廉で純白のイメージが強かった。

だから、あんなことまでできたのか。

はっきりいって、これはまさしく不能のおかげである。局所が下手に動きださず、求めなかったから、かわりに充分、女性に尽くすことができたのである。

しかも、それで自分自身、なんの不満もない。

それどころか、彼女が燃え上がるのを見て、気楽堂自身、興奮した。

なにか彼女に懸命に尽くした充実感というか、軽い疲労感まで覚えることができた。

この方法なら、有賀弁護士にはもちろん、殿村夫人にも、そして楓千裕にもおこなうことができる。

そして、三人をしかと自分の掌中にとらえておける。

三人も、しかもそれぞれ素敵な三人もの彼女がいる。

こんな恵まれた男など、この世にいるのだろうか。それも七十三歳にまでなって。

気楽堂は自分につぶやき、自分でうなずいてみる。

「いや、他にはいない」

気楽堂は自らにきっぱりいいきり、改めて彼女を抱き締める。

第十三章　人間らしく

気忙《きぜわ》しい師走《しわす》に入っても、気楽堂医院は患者が絶えない。

こんな季節に、どんな患者が来るのかと、疑問に思う人も多いかもしれないが、別に怪我をしたとか、事故にあった人が来るわけでもない。

それより、やや高齢の人が脊椎や四肢に関わるさまざまな症状を訴えてくる。

たとえば、寒さとともに腰痛が出てきて歩けないとか、右肢が不自由になって自信がないとか、肩が痛くて帯を結べないとか、日常生活上のさまざまな問題を訴えてくる。

むろん、気楽堂医院では手術はできないので、できるだけ、手術をしないで治す方法を考えてやる。

もしかすると、そのあたりが患者に安心感を与え、年配の患者が集まってくる原因なのかもしれない。

その日、外来に来た七十五歳の男性も、右の大腿部《だいたいぶ》の上部の痛みとともに、かなりの腰痛を訴えていた。

ただちに、局所を見たうえで触診し、さらにX線写真を撮って、脊椎と大腿部を調べると、どうやら「脊椎管狭窄症《きょうさくしょう》」のようである。

この病気は名前のとおり、脊椎の狭窄部にメスを入れて、手術をすることもあるが、手術をせずに治るケースもかなりある。

そこで、気楽堂は、手術はしないことを告げて、当分は局所に鎮痛剤を注射し、あとは股関《こかん》節《せつ》を軽く屈曲した位置で安静にするように指示して、帰すことにする。

「ありがとうございます」

患者は、手術をせずに治してみよう、といわれて安心したようである。

それに、あえていえば、気楽堂がかなり年齢《とし》をとっていることも幸いしているようでもある。

やはり、躰《からだ》をまかせるとなると若い医師より、やや年配の医師のほうが安心できるのかもしれない。

その点では、まさに好都合ともいえるが、これらの、患者の誰一人、気楽堂がつい少し前まで、不能で悩んでいたとは知るよしもない。

実際、そんなことは診察や治療には、なんの関わりもないことであるから当然といえば当然である。

一日の治療が終わるのは、ほぼ五時過ぎだが、そのあとスタッフとの打ち合わせや、保険点数の確認などで、業務のすべてが終わるのは六時を過ぎてしまう。

そのあと、気楽堂は自分のマンションに戻り、家政婦がつくってくれた夕食を食べることになるが、医師会の会合や、さまざまなパーティーなどに出かけることも多い。

そうした日は別として、出かけない日でも、一日の作業が終わるのは、ほぼ九時頃になってしまう。

このあと、個人宛の手紙や、さまざまな書類に目を通したりして、ようやく自分だけの時間が訪れる。

この頃になると家政婦も帰って、一人で暢《の》んびり過ごす。

もちろん誰もいないまま、なに気なく有賀弁護士や殿村夫人のことなどを思い出すこともある。

もし、有賀弁護士なら独身だけに、いま呼び出しても来てくれるかもしれない、などと思うこともある。

だが、こんな時間から呼び出すのは失礼である。

それに、これからベッドをともにしたのでは、帰るのが遅くなって可哀想である。

やはり泊ってもらうなら、金曜か土曜日の夜でなければまずいだろう。

そんなこともあって、まだ実際に呼び出したことはない。

それというのも、一度やりだすと、ずるずるとそのまま癖になりそうである。

いや、それだけでなく、そのうち、結婚したいなどと、いいだすかもしれない。

しかし、それだけはおさえなければならない。

そこまでいっては、亡き妻に申し訳ないことになる。

開業する前から、いろいろ尽くしてくれた妻を、悲しませるようなことだけはしたくない。

そして、当分はこのまま独身を貫きたい。

さまざまな思いが交叉《こうさ》するまま日曜を過ごし、ふとテレビを見ると、「ダーウィンが来た！」というタイトルの番組が流れている。

自然界の動物の生態を追った番組である。

その夜、気楽堂が見たのは、たまたまアザラシの生態を追ったものだった。

アルゼンチンのある半島の広い海岸線だが、そこに百頭近いアザラシが集まっている。

一見、子羊が横たわっているように見えるが、いずれもアザラシのメスだとか。

そこに一頭だけ、普通のアザラシの二、三倍はあろうかと思われる大きなアザラシが、ゆっくりメスの群れに近づいてくる。

アザラシのオスは、大きいものほど強くて群がるメスを独占するらしい。

これに対して、小さくて弱いオスはまわりにいて強いオスの行動を見ているだけ。

目の前に数十頭のメスがいるのに、その一頭に近づくことも許されない。

もし、メスに接近しようとしたオスがいたら、たちまち大きなオスに攻撃され、逃げ出すだけ。

まさしく、強いオス一頭だけが独裁する世界である。

かくして独裁者のオスアザラシは並みいるメスすべてに挑み、妊娠させていくらしい。

そして弱いオスは、それをただ離れて眺めているだけ。

これほど強者と弱者とが、画然と分かたれている世界があるだろうか。

そういえば、と気楽堂は改めて思い出す。

この番組のシリーズは以前にも見たことがあるが、どの動物もオスとメスとの交合の場面は、生々しく激しかった。

とくにオスは全力を尽くしてメスにチャレンジし、妊娠させていく。

なかにはその結果、へとへとになり、その場にうずくまり、身動きできなくなったオスもいた。

そして多くの動物は、セックスのあと息絶えて死んでいくらしい。

このように動物にとって、とくにオスにとっては、まさしく命を懸《か》けた恋というか、命と引き換えのセックスといってもよさそうである。

テレビを見ながら、気楽堂は改めてそのすさまじさに驚き感動する。

まさしく異性とセックスすることは、命を懸けた行為そのものである。

そこで、気楽堂はふと、「人間は?」と考える。

幸か不幸か、人間だけはセックスを遊びというか戯れでやっている。

気楽堂は改めて、人間社会の性の安易さに気がつかされる。

これはまさしく、人間だけに与えられた特権かもしれない。

人間は多くの場合、遊びのためだけにセックスをおこない、戯れている。

多分、いま、人類がおこなっているセックスの大半、九割以上は、性を楽しむだけで、子孫を増やすためにおこなっているケースは一割にも満たないだろう。

もちろん、これが人類だけに与えられた特権だといったら、そのとおりかもしれない。

これこそが、この世でもっとも高度な生きものである人類だけが楽しめるセックスである、という人もいるかもしれない。

しかし、遊びで子孫など増やす必要はないということになったら、デートの度に女性の秘所に男のペニスを挿入することも不要になる。

遊びなら遊びに徹するべきで、性的関係まですすめるべきではない。

では、いかにするべきか。

そこで、考えられるのが、ペニスを女性のなかに挿入しないセックスである。

そう、性的関係のないセックス。

男のペニスは挿入しないかわりに、女性に沢山の愛の言葉を囁き、女性の気持ちも和んだところで秘所を優しく愛撫し、エクスタシーに導いていく。

これこそまさしく、気楽堂が考えついた新しい愛のセックス、そのものである。

もちろん、気楽堂の考えた方法がベストとはいいきれないかもしれない。女性の秘所にペニスを挿入せず、かわりに男だけが女性を快《よ》くするため、一方的に努めるのでは不満だ、納得できない、という男たちも多いに違いない。

この方法は、気楽堂が高齢になり、不能になったことをきっかけに見出した方法だから、若い人たちに受け入れられないのは当然かもしれない。

しかし、セックスというのは、本来、生殖のためにおこなうべきものである。単に、いっときの遊びのためにおこなうものではない。

そうした感覚は、男より、女のほうがはるかに強いかもしれない。

とやかくいっても、女性にとってセックスは、男のように単純に射精することではなく、肉体的にも心理的にも大きな影響を受ける行為である。

このように、男と女で重さも考え方もまったく違う行為を、男の欲求のまま、安易にくり返していいのであろうか。

「いや、よくない」

気楽堂はきっぱりと首を横に振る。

もし、男女とも妊娠することを望んでいないなら、挿入しないで楽しむ方法を考えるべきである。女体を優しく抱き締め、ゆっくり愛撫をくり返し、満たしてやる。

要するに、男が女に尽くす愛である。

実際、そのほうが、男たちもかなり楽になるに違いない。

さらにセックスがうまいか下手か気にすることもなくなるし、そのことについて、とやかくいわれることもないだろう。

こんな気楽で、暢《の》んびりできるセックスなら毎日でもできるはずである。

しかも、女性とはペニスが関わり合わないだけに、心をこめて快《よ》くしてやることができる。

そのかわり、子供をつくりたいとき。

いま、このセックスで彼女に妊娠して欲しいと思うとき。

そのときだけは全力を尽くして彼女に挑み、射精する。

気楽堂は改めてうなずき、これもまた、「気楽堂方式だ」とつぶやく。

しかし、この方法をどうして広めるか。

そこまで考えて、気楽堂の頭はぴたりと止まってしまう。

とにかく、性に関わることを一般の人々に広めることは、考えている以上に難しそうである。

残念ながら、いまのところ、気楽堂のアイデアは思いつきだけにとどまっている。

まだまだ、みなに広く納得してもらうまでにはいたっていない。

それだけに、いま一度はっきり記しておかなければならないが、これからの男女は、ただやみくもにセックスを求めるべきではない。

それより、男はまず言葉や愛撫で、女性を悦《よろこ》ばせるべきである。

セックスなどは、初めからないものと思い、言葉と躰で女性を満たしてやる。

そうすれば、女性はずいぶん安堵し、和むに違いない。

もちろん、このやり方は夫婦のあいだでもとりあげられて、いい方法である。

夫と妻と、二人のセックスでも男はとくに挿入しない。

それより、言葉と躰で愛を表現し、満たしてやる。

もちろん、夫がそれでは不満だ、やはり射精したいというのなら、妻はすすんで協力してやればいい。

たとえば、妻がペニスを手にとって、愛撫してやってもいいし、さらには男が射精するところまで見届けてやってもいい。

そのあと、二人はしっかり抱き合い、さらに接吻をし、愛の言葉を交し合う。

ここまでいたれば、二人の愛は万々歳。

性的関係こそないが、まさしく完全な夫婦愛といいきれる。

夜の自室で、気楽堂は大きくうなずく。

もしこの方法を、亡き妻に求めたら、納得してくれたに違いない。

もっとも彼女の場合、子供が一人で、できることなら、もう一人欲しいと望んでいた。

それだけに、積極的に挿入することを求めたのかもしれないが。

しかし、未婚の男女のあいだで、デートの度にセックスまで求めるのはゆきすぎではないか。

それより二人のあいだの、より深き心のつながりを求めることが先である。

気楽堂の思いはさらに広がっていく。

この方法は、比較的年齢《とし》をとった高齢の夫婦には、もっとも適した、好ましいやり方かもしれない。

それというのも、高齢の夫婦ではほとんど性的関係をもっていないようである。

事実、以前読んだ「他人にはいえない、私たちの性白書」という記事では、そのあたりのことが明確に記されていた。

それによると、夫と妻とのセックスの頻度が、週に一回から二回というのが、三十代では十七パーセントと、もっとも高くなっていた。

これに対して、月に一、二回程度から、半年に一回以下のカップルが半数を占めていた。

さらに年齢別では、女性が四十代から五十代になるにつれてセックスの頻度は減り続け、六十代では八十パーセント以上の女性が、「半年に一回以下」となっていた。

これをさらに正規の夫婦間で見ると、セックスレスの状態はいちじるしく、「夫と最後に関係したのが、二か月以上前」という人妻が、三十代では五十二パーセント、四十代では六十六パーセント、五十代では八十一・三パーセントと記されていたが。

これでは、日本の夫婦のうち、中年以降の夫婦はほとんどセックスレス状態と決めつけて、間違いないようである。

なぜ、日本の夫婦はこのように、極端なセックスレス状態なのであろうか。

この点に関して気楽堂はいまならはっきりいえる。

「夫婦のあいだで、セックスを求めすぎるからさ」

これを聞いて、「えっ……」と首を傾げる人は多いかもしれない。

セックスレスなのだから、セックスを求めるのが当然ではないか、と反撥する人もいるかもしれない。

だが違う、と気楽堂は思う。

長年、十年も二十年も夫婦関係を続けてきた男女は、なにも改めてセックスを求める必要はない。

それより、ともに寄り添い、軽く抱き合い、接吻をする。

それで充分である。

まず、そういう考えで、夫は妻に接するべきである。

夫婦が寄り添い、軽く抱き合うだけではセックスとはいえないではないか、という人は多いかもしれない。

だが、長年連れ添った夫婦のあいだでは、それで充分である。

それ以上、しばらくセックスをしていないから、今夜はしなければ、などと考えるから、やる気がなくなるのである。

なにごとも義務のように感じては、せっかくの気持ちも失せてしまう。

それより、まず軽く寄り添い、軽く抱いてやる。さらに肩から背を、そして気が向けばお臀から股間も軽く愛撫する。

これだけで彼女は、いや妻は充分、満たされていく。

くわえて接吻をし、さらに乳首も口にふくんでやると、妻はさらに満足するに違いない。

でも、そこまでいったら、セックスをしなければ、と思うに違いない。

どんなときも、男はセックスが最終目標だと思いこんでいる。

だが、そんな余計なものはいらない。

「余計なもの？」

そう、長年夫婦関係を続けてきた二人のあいだでは、セックスはもはや余計なものに違いない。

なまじ、そんなものを求めようとするからセックスが鬱陶《うっとう》しく、重くなるのである。

それより、優しく抱き締め愛撫する。

それで充分。そのほうが妻も満たされ安堵する。

これまで気楽堂が何度も女性たちに試みてきた気楽堂方式。

それを実践することである。

「そうだ……」

気楽堂は思わず、うなずく。

今度、医院に回春科という科をつくってみようか。そうして、集まってきた患者さんたちに、夫婦相和する方法を教えてやろうか。

こんな素晴らしいことを教えてやるのに、恥じることはない。

第十四章　回春科

いま、青山の気楽堂医院の診療科目のなかには、整形外科と並んで堂々と、「回春科」が記されている。

道行く人々はこれを見て、そのまま通り過ぎる人もいるし、回春科とは、どんな躰《からだ》の状態に対して相談にのってくれるのか、考える人もいるようである。

なかには、単純にもっと若返りたい、と訴えてくる者もいる。

むろんそれらのなかには、インポテンツの人もいるようだが、直接、そのことを話しだす男性はいない。

それより、「腰が痛い」とか「足が弱って困っている」などと訴えているうちに、「この頃、元気がなくて」などということから、気楽堂が「局所のほうはどうですか」ときいて、インポテンツとわかることがある。

これらの患者に対して、気楽堂は優しく、かつ意欲的に対応する。

とくに、「あそこも元気がなくて……」と渋々答える患者に、「大丈夫です」といってやると、みな驚いたような顔をする。

そこで、気楽堂は改めてその種の患者を診察室の奥の別室に招き、一時的に看護師も退《さが》らせる。

それこそ、性的なきわどい話がくわわるので、女性の看護師はいないほうが、話をすすめやすい。

改めて二人だけになり、「これから、あなたも回春しましょう」といってやると、「そんなことができるのですか」と不思議そうにきいてくる。

それに、気楽堂ははっきり答えてやる。

「あなたに、強く、元気になりたいという意志があれば、大丈夫です」

「では、どうすれば?」

そこで気楽堂は改めて、ペニスの状態をきいてみる。

完全に不能なのか、ときに勃《た》ち上がることもあるのか。

さらに、バイアグラの使用状況も含めて、ペニスの現状を正直に答えてもらう。

もちろん、こんな診察を受けたことはないので、みな照れたり、戸惑うことが多いようだが、尋ねる医師のほうが本気だと知って、患者のほうも次第に真剣になる。

ここまできたら、治療の第一歩ははじまったと同じである。

患者のほとんどは、ペニスの勃起はあきらめていたようである。

そんな患者に、気楽堂はまずしっかりと説明してやる。

「ここでは、インポテンツの状態そのものを治すわけではないのです。そうではなく、その状態でも女性たちと際《つ》き合っていける。その方法をわかってもらうのです」

そこまでいうと、患者の多くは納得するが、「でも、セックスはできないのですね」ときいてくる。

「いや……」

気楽堂はきっぱりと首を横に振り、「体の関係が失くなるわけでは、ありません」といってやる。

しかし、ほとんどの患者は、その状態を理解できないようである。

そこで気楽堂は改めて、はっきりきいてみる。

「いま、彼女はいるのですか」

むろんそれは浮気相手の彼女でも、妻でもかまわない。

とにかく、彼女たちを悦《よろこ》ばせ、快《よ》くしてやりたいと思っている。そういう男たちだけに教えてやる。

「まず、自分のことは忘れて、女性が悦ぶところを知ることです」

そこで、女性器のすべてがわかる、大きな解剖図鑑を取り出して見せてやる。

まさか一般の医院で、こんな図鑑まで見せられるとは思っていなかったようである。

みな驚き、しみじみ見詰めている。

そんな男たちに、女性のもっとも感じるクリトリスの位置を示し、さらに膣内に広がっている性感帯まで教えてやる。

「こちらのほうまで、静かにゆっくりと触れてあげるのです」

もちろんその前に優しく抱擁し、沢山の愛の言葉を交すことも忘れてはいけない。

「女性は、男性と違って、セックスだけを求めているわけではないのです。それ以外の、愛の言葉や接吻《くちづけ》もなければ、男を受け入れる気になれないのです」

これでは、女性学とでもいうべきものだが、そこからはじめなければ多くの男性たちは理解できない。

とにかく、男たちの多くは自分の局所が勃ち上がり、女性と接しながら射精する、そのことばかり考えているようである。

だが、それは女性がもっとも悦び、求めているものとは異なっている。

女性はそれより優しく抱き締められ、沢山の愛の言葉を受けて接吻する。そうした、どちらかというとソフトな面を好んでいる。

セックスは、その結果として生じる一つの行為にすぎない。

このことを、気楽堂はまず、男たちに説明してやらなければならない。

「互いに触れ合っても、男と女で、求めているものは違うのだよ」

そして、気楽堂がいま、教えようとしていることはセックスそのものではない。そうではなく、セックスしなくても女性を悦ばせ、満足させる方法である。それを改めて学び、好きな女性にためしてみて欲しい。

「それでは、僕はなにも快《よ》くならないのですか」ときいてくる男性もいる。そういう男たちにははっきり答えてやる。

「そのとおり」

男の局所自体はなにも快くならない。

しかし、好きな女性を心地よくし、満足させ、君自身に全身ですがりついてくる、それを実感することは、なににも勝る快感である。

それで、君は彼女をしっかり、自分の彼女として保ち続けていける。

下手に、局所が勃ち上がるか否かなどと案じて、セックスにこだわる。そんなことより、このほうが、まさしく男冥利《おとこみょうり》に尽きるというものである。

「そうでしょう」

そこまでいうと、よく、そこまで率直に話してくれたと感服する。

「有り難うございました」と頭を下げ、「そのようにやってみます」と納得して帰っていく。

なかには、その後の経過まで、いろいろ説明に来る者もいる。

そんな男たちの顔はみな明るく、自信に満ちたように若返る。

「よし……」

気楽堂は密かに納得し、「これで、いこう」と、自らにつぶやく。

気楽堂医院の回春科は、ゆっくりだが患者も着実に増え、訪れてくる人すべてに対応しきれない。

仕方なく、回春科の患者だけは週末の土、日曜日に、特別診察日として来てもらうことにした。

しかし、ここで一つ問題なのは、インポテンツの相談は、いわゆる病気ではないので、どれくらいの診療報酬をもらっていいのか、わからないことである。

もしかして、泌尿器科の領域かと思うが、その専門医の江口が、まったくあつかっていないというのだから、きくだけ無駄である。

それにしても、これは間違いなく立派な医療行為である。

不能で肉体的にも精神的にも落ちこみ、体調まで崩している。こういう男性を立ち直らせるのだから、これに対して報酬を受けるのは当然の権利である。

そこで、気楽堂は一回の診療報酬を五千円と決めてみる。

はっきりいって、これが高いか安いかよくわからない。

しかし、他の診療報酬から見ると、圧倒的に安いことは間違いない。

なぜなら、この治療だけは患者さんと一対一で語り合わなければならない。くわえてこの治療には、レントゲン写真を撮ったり、さまざまな検査をしたり、手術のような処置をほどこすことがまったくない。

必要なのは、ただ懇切な会話だけ。

これでは、病院経営として成り立たず、赤字が増えるだけである。

しかし、気楽堂はできるだけ続けたい。

看護師に首を傾げられ、会計事務の女性から「なぜこんな患者さんを」といわれても、やめたくない。

理由はただ一つ、不能の患者を救いたい。その一点に尽きる。

事実、これまで診てきた患者のうち、数人はすでに光が見えてきた。

そのうちの一人の男性は妻と、もう一人の男性は彼女と密接な関係が生まれて自信ができたとか。

なんと素晴らしい成果であることか。

まさしく、気楽堂方式が効いてきた結果である。

気楽堂は改めて、医院の正面に出ている「回春科」という文字を見て納得する。

いま、気楽堂自身は完全に不能から立ち直っている。

いや、不能は不能だが、それをプラスに切り換え、不能になる以前の状態に勝るとも劣らぬ好位置に立っている。

これを知ったら、男たちはみな羨《うらや》ましがるに違いない。

そして、どうしてそんな状態にたどりつけたのか、みな不思議がるに違いない。

そう、これらは殿村夫人をはじめ、楓千裕、そして有賀弁護士など、女性たちのおかげである。

彼女らが、それぞれ気楽堂を支え、自信をもたせてくれたのである。

といって、三人が手をとり合ったり、連係し合ったわけではない。

そうではなく、気楽堂とそれらの女性たち、各々との関係が、気楽堂に勇気と自信をもたせてくれたのである。

まず殿村夫人、彼女には、不能になったことを正直に告げた。

もう、挿入することはできないことも、はっきりいっている。

そのうえで彼女を抱き締め、気楽堂なりの愛の行為を重ねることで、彼女は完全に満たされ、ゆき果てた。

こちらが見るかぎり、それは間違いないし、彼女も納得してくれたはずである。

そして千裕。彼女も、気楽堂が挿入できなくなったことを知ったようだが、そのことに、とくに違和感を抱かなかった。

それより、セックスの悦《よろこ》びが以前と変わらず、ときには、それ以上に強く感じることに納得し、満足しているようである。

そして有賀弁護士、彼女は気楽堂が完全に不能になってから関わり合った女性である。

本来なら、そんな状態になってから、女性を口説くなど、考えることもなかった。

だが、彼女の場合だけは違った。

会ったときから好きだったし、どうしても肌と肌を触れ合わせ、深く、愛し合いたい。

そこで、不能を承知で挑んでみた。

他の二人の女性のように、これまでの愛の感触が残っていたわけではない。

それどころか、まったくゼロから挑んだのに、信じられないほど感じて満足してくれた。

その悦びは、他の二人に勝るとも劣らぬほど深かったと思う。

いま一つ、気楽堂が治療したいのは若年性のインポテンツである。

一般的には五十代以下が対象で、高齢のインポテンツとは発生原因がまったく異なる。

気楽堂がおちいったようなインポテンツは年齢とともに、勃起力が衰えて不能になったもので、真性インポテンツとでもいうべきものである。

だが若年性インポテンツは、本来の勃起力は有しているのに、精神的な自信のなさや戸惑い、さらには不安などによって生じた勃起不能である。

それにしても、この種の勃起不全の男性はどれくらいいるものなのか。

いや、それ以上に、この種の患者はどの科であつかうべきなのか。

泌尿器科か、あるいは精神科かとも思うが、いずれの科の医学書でも、これまであつかわれた形跡はまったくなく、無視されている。

ということは、この種の患者が完全に放置されていたことは間違いない。

これだけすすんだ現代医療のなかで、これはとてつもなく大きな空白ではないか。

気楽堂は改めて驚き、呆れるが、それにしても現在、患者が訪れたら、どのように対処したらいいのか。

とにかく、インポテンツ学などという学問自体がないのだから、すべて気楽堂自身が直接、患者に当たって、その都度、対応していくよりない。

それにしても、大変なことをはじめたものである。自分で驚き、呆れているうちに、患者が現れた。

年齢は四十二歳で、一見、エリートサラリーマンのようだが、二十代の半ばから勃起不全で悩んでいるという。

そのせいか、結婚もまだしていないとか。

気楽堂は一応、ペニスを検診し、外見的には、とくに異常がないのをたしかめてから、なにか、不能になる直接のきっかけでもあったのか、きいてみる。

患者はそのまま目を伏せていたが、やがて小さくつぶやく。

「女の人が、僕のを見て……」

そのまま黙りこんだので、気楽堂は促してやる。

「なんでも、正直にいってごらん」

そこで、患者は意を決したようにつぶやく。

「可愛いわね、って……」

男はそのまま黙りこむ。

気楽堂は改めて、中年の男性にきいてみる。

「その女性とは、結婚していたわけではないんだね」

「まだ、二十三歳でしたから」

「で、相手の女性は？」

「僕の八歳上で……」

「じゃあ、三十一、二歳かな」

いまよりかなり若かった頃、八歳、年上の女性と性的関係をもちかけた。

そのとき、年上の女性が彼のペニスを見て、「可愛いわね」とつぶやいた。

「それで、駄目になったの？」

男性は気楽堂を信頼しているのか、素直にうなずく。

「なにか、軽く見られたようにでも思ったのかな」

そのときの、男性の心理が問題である。

「正直に、いってごらん」

「小さい、といわれたのかと思って……」

たしかに、その気持ちはわからぬわけではない。

「もしかしたら、彼女は言葉どおり、可愛いと思ったのかもしれないだろう」

「でも……」

男性は一度顔を上げ、それから再び目を伏せて、

「そのあと、笑ったのです」

「笑った？」

男性が恥ずかしそうにうなずく。

たしかに、ペニスを見て、女性が笑ったのではまずいかもしれない。

とやかくいっても、ペニスは男性のもっとも重要な、大袈裟《おおげさ》にいえば、命に関わる局所である。

そこを、「可愛いわね」といわれて笑われたのでは、男性が傷つくのも無理はない。

その女性にとっては悪気はなく、可愛さのあまり、笑っただけかもしれないが、それが男性にとっては、自信を失うきっかけになったようである。

「それ以来、セックスは？」

男性はゆっくり、首を左右に振る。

「他の女性とも？」

かすかにうなずく男性に、気楽堂はきっぱりいってやる。

「大丈夫、君のペニスはこれでいい。立派に勃《た》ち上がるから、心配するな」

いま目の前にいる男性に必要なことは、自信をもたせることである。

自分のペニスは人並みに元気で、他の男たちに負けない力強さをたくわえている。まずそう思い、信じこむことである。

それにしても、相手の女性が、ペニスを見て、「可愛いわね」といって、かすかに笑っただけで勃たなくなるとは。

男とは、そしてペニスとは、なんとナイーブでデリケートな組織なのか。

当然、女性たちは、そのあたりのことに気をつけて欲しい。

君の一言が、というより、貴女《あなた》の一言が、男を生かしもし、殺しもする。

といっても、各々の女性に、そこまで知ってもらうのは難しい。セックスに熟練しきった女性ならともかく、さほど慣れていない女性に、そこまで求めるのは無理というものである。

「とにかく、これからは……」

気楽堂は改めて、男のペニスを見ながら忠告する。

「今度はもっと若い、あまり性的体験のなさそうな女性を探してごらん」

そういう女性なら、男のペニスを見て、「可愛いわね」などと言ったりはしない。

いや、ペニスなぞ見せず、そのままストレートに求めるようにしたらいい。

自分のは大丈夫、勃ち上がるはずだと信じてすすんでいく。

このとき、相手の女性はむしろセックスに未知で、不安がっているほうがいい。

そういう女性のほうが、男は自信をもって逞しくなることができる。

もちろん、そこで女性を心地よくし、悦《よろこ》ばすことなぞ、考えるべきではない。

それより、俺は大丈夫なのだと思いこむ。

「君のペニスが駄目なんじゃない、それより、君が駄目なのだと思いこむ、その一歩退いた気持ちが、ペニスを駄目にしているんだよ」

素直にうなずく男性に、気楽堂は薬を出してやることにする。

「少し薬をあげるから、女性と関係する前に、三錠ぐらい服《の》んでごらん」

バイアグラだが、この種のものを服んだほうが、男性はさらに自信をもつに違いない。

「大丈夫だからね」

気楽堂はさらにきっぱりといい、男性の手をしっかり握ってやる。

いま一人、不能を訴えてきたのは、三十六歳の男性で、会ってみると、身長は百七十五センチ近くある。

大学時代、アメリカンフットボールの選手をしていたようだが、いまは商事会社に勤めているらしい。

こんな体格のいい男性が不能なのか。見かけからは信じられないが、二十代の半ばからセックスができなくなったとか。

なぜなのか、気楽堂が改めてきくと、それまで自慰は何度もおこなっていたらしい。

しかし、二十代の半ばに好きな女性ができて、性的関係までたどりついた。

そこで本人は喜び勇んで彼女を求めたが、結果は惨憺《さんたん》たることになった。

それというのも、まず性行為に当たって、当人は急ぎすぎたようである。

彼女が下着を脱ぐのを待って、一気にペニスを挿入しかけたが、彼女は「痛い」と訴え、「やめて」といって、身を退いてしまった。

それでも、彼は再度ペニスを挿入しようと試みたが、やはり痛みを訴え、受け入れてくれない。

そのまま、「入れて欲しい」「いや、やめて」という言い争いになり、結局、挿入することはできず、その日はそのまま別れてしまった。

それ以来、彼は何度か彼女を求めたが、いずれも性的関係は結ばれず、彼女に、「それを求めるなら、もう会わない」といわれて拒否された。

男性は、彼女が好きだっただけにショックを受け、そのまま関係できずにいたが、他の女性と知り合い、性的関係直前まですすむことができた。

だがこのとき、彼女のほうから、「優しくしてね」といわれ、そうしようと思っているうちに、肝腎のペニスが萎《な》えてできなくなってしまった。

それ以来、二人の女性と親しくなったが、性的関係直前になると、また、「痛い」といわれ、「やめて」と拒否されると思ううちに、自らのものは自然に萎え、できなくなってしまったとか。

「それで、いまは？」

「もう、僕には無理だと思って……」

これだけ男らしい男がセックスをできないとは。残念というか、もったいないというか、それにしてもセックスほど複雑で難しいものはない。

改めて考えると、若年性のインポテンツを治すのは難しい。

それというのも、その発症が相手の女性との関係によって生じたものが、ほとんどだからである。

実際、最初のケースは、相手の女性が彼のペニスを見て、「可愛いわね」といって、笑った。それで自信を失って不能になったのだから、もっとも好ましい処置は、そんなことをいわず、彼のペニスを見て驚き、むしろ怯《おび》えるような女性と接することが望ましい。

要するに、原因になった状況と別の状況を体験させてやることである。

だが、そんなことを実際におこなったら、それは人道的に許されない。場合によっては、買春行為といわれかねない。

とにかく、いま気楽堂ができることは、それぞれの青年に、「これで大丈夫だよ、インポテンツなどではない、立派なペニスだから、自信をもちなさい」といってやるよりない。

これだけではたして治るのか。気楽堂も自信がない。

しかし、それなりにさまざまな患者を診て経験を積んできた。そんな医師が、きっぱり「大丈夫だよ」といってやる。

それをくり返すうちに患者も、いや、若い男性たちも徐々に自信をとり戻し、立ち直るのではないか。

いまはそれを信じて、励ますよりない。


それにしても、同じインポテンツにしても、さまざまなケースがあることを、気楽堂は改めて知った。

たとえば、これまでに来た患者のように、三十代や四十代はもちろん、五十代にインポテンツになった男性もいるようである。

いや、五十代から六十代まで広げたら、その数はかなり増えそうである。

ここまで、はたして治療の対象を広げていいものか、気楽堂自身もわからなくなる。

はっきりいって五十代から六十代のインポテンツは、「初老期インポテンツ」とでもいうべきものかもしれない。

これらのなかには、完全なインポテンツから、最近弱くなってきて、ときどき不能になる、というケースまでさまざまなものが含まれる。

さらに、これらのインポテンツの特徴は、すでにバイアグラや、それに相当する強壮剤は使用していることである。

そのうえで、うまく勃起せず、女性と関係することができなくなったと訴えてくる。

この種の患者にはどう対処するべきか。

気楽堂が考えたことは、まず各々の男性に自信をもたせることである。

「俺は勃《た》つはずだ、大丈夫だ」と、自分で自分にいいきかす。

これで効果がないときは、自信をもたせてくれる相手を探すことである。

「そんな人、いません」といわれそうだが。

ここで思い出されるのが、かつての赤線のような歓楽街である。

そこには、セックスにベテランの女性がいて、男をどのようにもあつかうことができた。

たとえば、不能で自信のない男には、「あなたのここ、素晴らしいわ」「立派ね」などと、男を悦《よろこ》ばすことをいって自信をかきたててやる。

さらに関係したあとも、「とてもよかったわ」と満足してみせる。

男の不能を治し、自信を与えるには、この方法が最良である。

だがいまは、このような気の利いた女性はいないようである。

すべてが素人《しろうと》で、遊びがなくなった分だけ、男を逞しくさせる女性もいない。

「赤線がなくなった分だけ、男の不能も増えているのかもしれない」

気楽堂はそうも思うが、といって、いまさら、赤線街を復活させろ、などといえるわけもない。

いまはただ、気楽堂のようなベテランの医師が、「大丈夫だよ、間違いなく勃つようになるから」と、励ましてやるよりない。

そうだとすると、

「自分は赤線の女なのか」

気楽堂は思わずつぶやき、苦笑するが、いまこそ、そんな役目をする男が必要なのだ、とも思う。

「しかし……」と、気楽堂は改めて考える。

いま、気楽堂のまわりにもっとも多いのは、高齢者のインポテンツである。

彼等は七十歳をこえても、性を楽しみたい、と願っている。

だが彼等は完全に不能である。

五十代や六十代の男性のように、弱いと思いながら、ときに勃つ。いや、勃つような気がするが、やはり勃たない。そんな曖昧な状態はすでに過ぎて、まったく勃起しない。

この状態で、なお性を楽しみたいと願っている。

そういう男性を満足させる方法を、気楽堂は最近、確立したばかりである。

これをみなに知らせて、教えてやりたい。

「おうい、みんな、不能だからといって、嘆き、悲しむことなんかないんだよ」

高年の不能者は、中年のそれのように、できそうで、できない、いや、できるかもなどと迷うこともない。

それより、ペニスを完全に捨てることである。そのうえで、女性を悦《よろこ》ばすことだけに専念する。

そうだ、中途半端な五十代や六十代の男性たちにも、この方法を教えたらいいかもしれない。

もうそんな、勃起するか否かわからない、不安定なペニスなぞあきらめて、最初から、自分は不能なのだと納得したうえで女性と接していく。

そして、さまざまな愛の言葉と優しい女性器への接触だけで、女性を快《よ》くしてやる。

実際、そんな愛撫をくわえられたら、女性は驚くに違いない。

「えっ、あなたはこんな素敵なセックスで、わたしを悦ばせてくれるの」

そういって、男性にしがみついてくる。

五十代、六十代の初老期インポテンツの男性も、こちらの方法に切り換えるべきである。

それで、男も女も充分、満足することができる。

「とにかくゆっくり慌てずに、駄目なら駄目でいい、という感じでね」

それにしても、いまさら、不能になっている男性に、こんなことをいうのも奇妙である。

いや、この男性たちは、いわゆる高齢によるインポテンツとは違う。

本当は可能だが、拒否され、逆らわれるうちに挿入できなくなった。いわば、仮性インポテンツ、とでもいうべきケースである。

それらの男性に、気楽堂はいってやる。

「とにかく大丈夫、このまま静かに待てば、きっと治るから、安心しなさい」

男性は静かにうなずき、そっとパンツを引き上げる。

そのまま前をズボンでおおえば立派な青年になるところが、気楽堂にはおかしくて不思議である。

第十五章　愛ふたたび

有賀嬢から、食事の誘いがあったのは、年の瀬も迫った十二月の半ばであった。

「もし、よろしかったら、お食事でもいかがでしょうか」

女性から食事に誘われることなど滅多にない。気楽堂は思いきり明るい声で答える。

「やぁ、嬉しいなぁ、いいんですか」

「この前、京都でご馳走になったので……」

「そんなこと、気にしないで下さい」

京都まで連れて行ってご馳走したのは、彼女をベッドで抱き締めたかったからである。

それがかなったことで、充分、満足しているのに、今度は彼女のほうから食事に誘ってくれるとは、こんな嬉しいことはない。

早速、日程を合わせて、三日後の夜に、彼女の事務所に行くことにする。

午後六時で、事務所にはまだ若い女性職員がいたが、彼女はかまわず出てきてくれる。

そのまま連れて行ってくれたのは、恵比寿に近い東三丁目にある「いちか」という店だった。

「お肉ですが、よろしいですか」

「もちろん、大好きです」

行ってみると、ステーキ店の個室で、二人で並んで坐れて落ち着いている。

「ここへは、ときどき来られるのですか」

「いえ、たまにですけど」

早速、オードブルとスープが、さらに笹の葉に巻かれた雲丹《うに》が出てきて、そのあとサーロインが焼かれて、各々の皿に盛りつけてくれる。

「美味しい」

焼きたての肉の一切れを口に含んで、気楽堂はゆっくりうなずく。

こんな落ち着いた店で素敵な美女と食事をできるなど、まさに男冥利に尽きるというものである。

「この次は、僕におごらせて下さい」

これをきっかけに、もっと頻繁に二人で食事をするようにしたい。

肉と赤ワインで気楽堂はすっかり心地よくなり、さらに我儘《わがまま》をいってみたくなる。

「お宅は、この近くでしたよね」

うなずく彼女に、さらにお願いしてみる。

「行ってみたいな」

一瞬、彼女は驚いたようだが、少し間をおいてつぶやく。

「小さい部屋ですよ」

「そんなこと、かまいません」

正直にいう気楽堂を、可愛いおねだりとでも感じたのか、食事のあと、彼女は「お部屋に行ってみますか」と、誘ってくれる。

場所は麻布で、ステーキ店から車で十分少ししかかからない。

正面の道路から少し高台になったところらしく、そこに七、八階はあるマンションが建っている。

その七階の右手の通路の先に、彼女の部屋があるらしい。

これまで、何人かの女性と親しくなったが、女性の部屋に入るのは久しぶりである。

「どうぞ……」といわれて、秘密のアジトにでも導かれるようにすすむと、入口の廊下の先にいきなり広い空間がひろがる。

壁も床も淡いグレーでまとめられて明るく、その中ほどに、ソファセットがおかれ、中央のガラスのテーブルの上に、赤い花が飾られている。

「素敵なところですね」

これでは、住居というより、ホテルの一室に休みにきたような感じである。

「いいなぁ……」

気楽堂は改めてまわりを見廻しながら、隣りが書斎で、さらにベッドルームがあるのかと想像する。

彼女は「よろしかったら」といって、コーヒーを出してくれるが、テーブルの上にある傾いた形のガラスの花瓶は、バカラのようである。

すべてが、彼女の好みでまとめられているのか。気楽堂が感心して見とれていると、彼女がソファの横に坐り、「狭いでしょう」という。

「いやいや……」

女性一人ではもったいないほどの空間である。

「広くて、きれいですね」

気楽堂の部屋もすっきりしているが、この部屋はそのうえに、どこか艶めいている。

そのままソファに休んでいたが、気楽堂はなに気なく立ち上がる。

左手に窓があり、その先にベランダがあるようである。

なぜともなく、気楽堂はそこに出てみたくなる。

そこからなら、気楽堂の家のベランダのように、無数の明かりが見えるはずである。

それらを見詰めたまま、有賀嬢を抱き締めたい。

「あのう、ベランダに出られるのでしょう」

「ええ……」

淹れたばかりのコーヒーを持ってきてくれた彼女が、不思議そうにうなずく。

「出ていいですか」

気楽堂がきくと、有賀嬢がスリッパを持ってきてくれる。

それを履いてベランダに出ると、夜空に無数の光りが輝いている。

「きれいだ」

ここは、気楽堂のマンションよりひっそりとしているだけに、光りが一層鮮やかに見える。

「いいなあ……」

つぶやきながらうなずくと、すぐ横に有賀嬢が立っている。

その心地いい香りに引きつけられるように、気楽堂は上体を近づけると、思いきり抱き締める。

「あっ……」

有賀嬢は驚いたようである。だが、気楽堂はしかととらえたまま、彼女の唇をしっかりとおおう。

そのまま、「好きだよ」と心のなかでつぶやき、さらに寄り添い、きっぱりと訴える。

「好きだよ……」

それに応えるように、彼女が自分のほうから全身を押しつけてくる。

「もう離さない」

「わたしも……」

ついに有賀嬢がはっきりと応えてくれた。

「ようし……」

気楽堂は自分で、自分に大きくうなずく。

不能になっても、困ることとなんかなにもない。それより、不能になったそのときこそ、女性にもてるチャンスだぞ。

いま、気楽堂はみなに向かって叫びたい。

「自信を失った男たち、みんな俺のところに集まってこい」

ここで、俺のいうとおりやったら、みな自信をとり戻すことができるぞ。

そして自信とともに、いままであきらめていた女性との愛も、そして妻との愛も甦る。

そう、新しい愛がふたたびはじまるのだ。

改めて、気楽堂は有賀嬢を抱き締めたまま、夜空を見上げる。

「見てごらん」

気楽堂の声に、有賀嬢は腕をゆるめ、空を見上げる。

「星があんなに輝いている」

二人で眺めてから、今度は彼方に輝いている家々の明かりを指さす。

「あんなに、人々が生きている」

気楽堂の言葉に、有賀嬢が大きくうなずく。

「そうだ、愛ふたたびだ」

「愛ふたたび？　素敵だわ」

そのまま、二人はしかと抱き合い、夜風のなかで互いの愛が心と躰に沁《し》み込み、溶《と》けていくのを実感する。

参考文献

『グランド解剖学図譜』（医学書院）
『ネッター解剖学アトラス』（南江堂）
『バイアグラ　処方の新しい展望』（石井延久／メディカルレビュー社）
『ＥＤ　検査・診断・バイアグラによる治療の実際』（永尾光一／保健同人社）
『バイアグラのすべてがわかる本』（渡辺雄二／双葉社）

本作は、左記の新聞に掲載された作品を大幅に加筆・修正したものです。

十勝毎日新聞　デーリー東北新聞　北國新聞　富山新聞　福井新聞　岐阜新聞　日本海新聞　大阪日日新聞　山陰中央新報　山陽新聞　徳島新聞　四國新聞　愛媛新聞　山口新聞　長崎新聞　大分合同新聞　宮崎日日新聞　琉球新報　日刊ゲンダイ

〈著者紹介〉
渡辺淳一　1933年北海道生まれ。医学博士。58年札幌医科大学医学部卒業後、母校の整形外科医として医療にたずさわるかたわら小説を執筆。作品は初期の医学を題材としたものから、歴史、伝記的小説、男と女の本質に迫る恋愛小説と多彩で、医学的な人間認識をもとに、華麗な現代ロマンを描く作家として、常に文壇の第一線で活躍している。70年『光と影』で直木賞受賞、80年に『遠き落日』『長崎ロシア遊女館』で吉川英治文学賞受賞、2003年には菊池寛賞受賞。著書に『愛の流刑地』『欲情の作法』(いずれも幻冬舎文庫)、『事実婚　新しい愛の形』(集英社新書)、『天上紅蓮』(文藝春秋)、『死なない病気　あとの祭り』(新潮社)、『雲の階段』(講談社文庫)などがある。

愛 ふたたび
2013年6月30日　第1刷発行
2014年5月15日　第3刷発行

著　者　渡辺淳一
発行者　見城 徹

GENTOSHA

発行所　株式会社 幻冬舎
〒151-0051 東京都渋谷区千駄ヶ谷4-9-7

電話:03(5411)6211(編集)
03(5411)6222(営業)
振替:00120-8-767643
印刷・製本所:中央精版印刷株式会社

検印廃止

ISBN978-4-344-02421-2 C0093
幻冬舎ホームページアドレス　http://www.gentosha.co.jp/

この本に関するご意見・ご感想をメールでお寄せいただく場合は、comment@gentosha.co.jpまで。